L'obésité
n'est **pas**
une maladie

Catalogage avant publication de Bibliothèque et Archives nationales du Québec et Bibliothèque et Archives Canada

Titre : L'obésité n'est pas une maladie : redéfinir la gestion de poids et en apprendre davantage sur le régime KETO / Maurice Larocque.

Noms : Larocque, Maurice, 1945- auteur.

Description : Comprend des références bibliographiques.

Identifiants : Canadiana 20189432187 | ISBN 9782892259889

Vedettes-matière : RVM : Perte de poids. | RVM : Régimes cétogènes. | RVM : Obésité—Traitement

Classification : LCC RM222.2 L372 2019 | CDD 613.2/5—dc23

Adresse municipale :
Les éditions Un monde différent
3905, rue Isabelle, bureau 101
Brossard (Québec) Canada
J4Y 2R2
Tél. : 450 656-2660 ou 800 443-2582
Téléc. : 450 659-9328
Site Internet : www.umd.ca
www.facebook.com/EditionsUnMondeDifferent
Courriel : info@umd.ca

Adresse postale :
Les éditions Un monde différent
C. P. 51546
Greenfield Park (Québec)
J4V 3N8

Dépôts légaux : 1er trimestre 2019
Bibliothèque et Archives nationales du Québec
Bibliothèque et Archives Canada
Bibliothèque nationale de France

Crédit pour l'image de la pomme :
ISTOCK / PROCURATOR IVANOV.US

Conception graphique de la couverture :
OLIVIER LASSER

Photocomposition et mise en pages :
ANDRÉA JOSEPH [pagexpress@videotron.ca]

Typographie : Minion Pro 12,3 sur 15,9 pts

ISBN 978-2-89225-988-9

Financé par le gouvernement du Canada | Canadä

Gouvernement du Québec – Programme de crédit d'impôt pour l'édition de livres et l'aide à l'édition – Gestion SODEC.

IMPRIMÉ AU CANADA

Dr Maurice Larocque

L'obésité n'est **pas** une maladie

Redéfinir la gestion de poids et en apprendre davantage sur le régime **KETO**

UN MONDE 🕇 DIFFÉRENT

À mon épouse, Chiara,
mes enfants, Jean-François,
Marie Christine et Caroline.

*À chacun d'entre vous qui entreprend
la lecture de ce livre, je tiens à vous féliciter
pour votre désir profond de changer.*

*Vous avez probablement eu des échecs dans
vos tentatives passées de perdre du poids
mais vous voulez encore vous améliorer.
Félicitations.*

*Sachez que vos expériences passées
sont de merveilleuses opportunités
pour vous améliorer.*

*Nous n'avons pas appris
à marcher sans tomber.*

*C'est l'histoire de ce livre qui
couvre plus de 40 ans de ma vie
professionnelle et personnelle.*

*Ça se veut un message
d'espoir dans la vie.*

TABLE DES MATIÈRES

PRÉFACE

*D*evant l'augmentation préoccupante de l'obésité, les chercheurs à travers le monde ont multiplié leurs recherches, tant dans le domaine de la biologie que le domaine social, pour en expliquer les causes et ainsi développer des interventions qui permettraient aux patients de perdre leur surplus de poids. Nombreuses sont les recherches qui ont tenté d'identifier les origines de l'obésité et son traitement en ciblant une cause unique. Ainsi, l'obésité était initialement définie et traitée sur le plan d'une surcharge pondérale liée à un déséquilibre chronique de la balance énergétique. Ensuite, certains chercheurs ont parlé de troubles du comportement, de difficultés d'ordre social, de problématiques génétiques et ils ont développé des traitements déterminés par leurs observations. Tous ces efforts pour réduire les causes de l'obésité à une seule variable tangible se sont montrés infructueux. L'étiologie, c'est-à-dire les causes mêmes de l'obésité, révèle la conjoncture, en proportion variable selon les individus, de plusieurs facteurs : génétiques, *physiologiques, psychologiques et environnementaux. Bien que les recherches semblent de plus en plus démontrer que les causes de l'obésité sont multiples et qu'il existe une grande hétérogénéité entre les patients, son traitement est encore envisagé selon des approches unidimensionnelles.*

C'est dans cette recherche de sens que je me suis intéressée dans mes études doctorales aux raisons sous-jacentes de l'abandon des traitements de l'obésité. En effet, il m'importait de comprendre pourquoi les taux d'abandon des traitements de l'obésité étaient supérieurs aux taux d'abandon des traitements de psychothérapie. Dans ma recherche, j'ai donc pu établir l'importance de certaines variables psychologiques (les comportements alimentaires, le stress, la motivation, la dépression et l'anxiété) et révélé l'importance de la qualité de la relation thérapeutique sur les résultats d'un traitement pour la perte de poids. En effet, ma recherche a démontré que le niveau de bien-être psychologique pouvait prédire si ces derniers sont plus susceptibles de perdre du poids ou d'en reprendre à la suite des rencontres avec leur intervenant. De plus, par cette recherche j'ai pu mettre en lumière la présence d'un effet interactif entre la qualité de la relation thérapeutique et le surpoids.

Enfin, l'obésité et son traitement suscitent beaucoup d'intérêt parmi les chercheurs et les cliniciens. Afin de faire progresser la compréhension et d'améliorer le traitement de l'obésité, une approche intégrative et globale est nécessaire.

C'est sous cette perspective que le Dr Larocque vous propose son dernier livre. Sa grande expérience et sa soif de réponses lui ont permis d'acquérir une réputation internationale. Avec son talent d'analyse, il vous suggère une approche

différente de l'obésité et de son traitement. Cet ouvrage repré-
sente non seulement la synthèse de ses travaux et de ses outils
cliniques, mais il reflète également sa passion, sa grande sensi-
bilité pour ses patients et sa perspicacité professionnelle.

Bonne lecture,

Dʳᴱ Cᴀʀᴏʟɪɴᴇ Lᴀʀᴏᴄϙᴜᴇ, Mps, Dps
Psychologue

AVANT-PROPOS

Nous sommes au début d'une révolution.

Non seulement en médecine, mais surtout relativement à la compréhension et au traitement de l'obésité, cette dramatique condition sociale du 21e siècle.

Comme médecin, je m'y intéresse depuis 45 ans. Je fais de la recherche clinique sur le sujet afin d'en comprendre les causes et de développer les meilleurs traitements.

J'en suis venu à une vision totalement contraire à celle de la science médicale basée sur le régime, la médication ou la chirurgie pour régler le problème.

Si nous voulons éradiquer cette épidémie, redonner des jours meilleurs à ceux et celles qui souffrent dans leur corps et dans leur âme, nous devons absolument, comme professionnels de la santé, redéfinir la gestion du poids. C'est le sujet de ce livre.

Au cours des décennies, ma vision du traitement de l'obésité a évolué de façon considérable. J'ai obtenu un diplôme à la faculté de médecine de l'Université de Montréal en 1969. Comme toutes les écoles de médecine du temps, et encore aujourd'hui, les connaissances enseignées sont basées sur des données scientifiques qui reposent sur l'observation et l'expérimentation afin de définir et expliquer un phénomène naturel. Malheureusement à mon époque, on n'y enseignait que très peu de nutrition et encore moins de changement de comportement, de motivation et de gestion des émotions. Je constate avec grande tristesse qu'aujourd'hui ce n'est pas mieux. Il n'existe toujours pas de cours de formation universitaire dans le traitement de l'obésité pour les médecins malgré l'épidémie qui tue et rend malades des millions de personnes, voire plus de 50 % de la population adulte au Canada et plus de 30 % de nos jeunes.

Au cours des derniers siècles, la science a beaucoup évolué.

De René Descartes, un philosophe et physicien français, célèbre pour avoir exprimé au 17ᵉ siècle dans son *Discours de la méthode*, le fameux « *Je pense, donc je suis* », fondant ainsi la base de la science de l'époque, à Isaac Newton, un physicien anglais qui au 18ᵉ siècle fut reconnu comme une figure maîtresse dans la révolution scientifique du temps, à Gregor Mendel, un moine peu connu d'Europe centrale, qui au 19ᵉ siècle découvrit les bases de la division cellulaire et de la génétique, à Einstein au début du 20ᵉ siècle qui, avec des collègues, découvrit la physique quantique et à Gilbert Gottlieb, un psychologue américain qui, au début du 21ᵉ siècle, fit le lien entre la psychologie et l'épigénétique, une nouvelle compréhension du monde annonce une révolution.

De mon expérience dans les années 70, avec les régimes hypocaloriques dans les années 80 avec les régimes très bas en calories, dans les années 90 avec le changement des habitudes et du comportement, dans les années 2000 avec la motivation, la gestion du stress et des émotions, un nouveau paradigme pour traiter la personne en surpoids est né.

Depuis la publication de mon premier livre en 1982, *Maigrir par la motivation*, à *Maigrir par le contrôle des émotions* en 1984, à *Maigrir par le subconscient* en 1986, à huit livres plus tard, *Motivation minceur* en 2012, depuis la création de 15 programmes sonores sur la motivation, le changement des habitudes, la méditation et l'autohypnose, depuis l'abondante documentation et les nombreuses vidéos sur le sujet, j'ai toujours focalisé sur le développement d'outils de motivation des plus efficaces. Mon désir profond est de pouvoir faire une différence dans la vie d'un autre humain souffrant dans son corps et dans son âme.

Du développement du premier Questionnaire Poids Mental (QPM) au début des années 80, à mes recherches cliniques sur les diètes et les facteurs prédictifs d'une perte et d'un maintien du poids réussi, à nos découvertes en motivation, à l'efficacité et l'importance de l'alliance thérapeutique dans la perte de poids, à nos recherches sur le rôle du stress chronique, je dois vous avouer que nous sommes en train d'assister à un changement complet de notre façon d'intervenir auprès des personnes porteuses de surpoids et d'obésité.

Ce que ma vie professionnelle et personnelle m'a appris durant toutes ces années me permet d'affirmer :

REDÉFINIR LA GESTION DU POIDS N'EST PAS LE TRAITEMENT D'UNE MALADIE, MAIS L'ACCOMPAGNEMENT D'UN ÊTRE HUMAIN VERS SA PLÉNITUDE.

Mon but est de lui donner **l'espoir de guérir** en l'amenant à comprendre pourquoi il fait les choses, en le responsabilisant sans le culpabiliser et en l'aidant à vivre le moment présent.

Les témoignages que je reçois chaque jour me permettent d'affirmer que ça se fait et que ça en vaut la peine. C'est le voyage d'une vie. C'est le message d'espoir que je vous laisse.

Bon voyage.

MAURICE LAROCQUE, M. D.

1

UN RÉGIME MIRACLE ?

LES DIÈTES FONCTIONNENT

Depuis des décennies, nutritionnistes, chercheurs et médecins cherchent **LE RÉGIME AMAIGRISSANT** par excellence. Malheureusement aucun régime n'a encore atteint le but de faire perdre et de maintenir le poids perdu à tout le monde pour tout le temps.

Est-ce parce que nous n'avons pas encore trouvé la diète miracle ?

Je ne crois pas. Plusieurs recherches ont été menées dans les 50 dernières années dans le domaine de la nutrition.

Depuis longtemps, nous savons que pour perdre du poids, nous devons consommer moins de calories que nous en brûlons.

Ne croyez pas ceux qui disent que c'est faux, que nous ne connaissons pas bien les causes du surpoids ou de l'obésité.

Ne croyez pas ces professionnels de la santé qui font croire que le métabolisme basal est responsable d'un gain de poids irréversible.

Ne croyez pas ceux qui disent que c'est génétique et qu'il n'y a rien à faire.

Ne croyez pas ces chirurgiens bariatriques qui disent que la chirurgie est le SEUL moyen pour perdre du poids chez les personnes porteuses d'un surplus de 20 kg ou plus.

Ils ont tous tort.

Je me souviens quand le jeûne absolu était le moyen hospitalier privilégié pour maigrir, quand un régime de 500 calories avec des injections quotidiennes d'hormones gonadotrophines chorioniques (hormones de femmes enceintes) produisaient des résultats rapides de perte de poids, quand le jeûne modifié d'épargne de protéines était LA solution, quand Weight Watchers, Jenny Craig, Cambridge Minceur, Beverly Hill Diet, le régime Atkins et des milliers d'autres promettaient des pertes de poids réussies. Et ils avaient tous raison.

Les régimes amaigrissants fonctionnent. Si vous mangez moins, vous perdez du poids.

Or, la littérature médicale rapporte un taux de succès de maintien du poids perdu de l'ordre de 5 % après 4 ans. Pourtant, nous avons des outils nutritionnels performants à court et à long terme lorsqu'ils sont utilisés. Pourquoi reprend-on trop souvent le poids perdu ? Pourquoi abandonne-t-on avant la fin de la cure ? J'ai consacré ma vie professionnelle à répondre à ces questions. Les réponses sont le sujet de ce livre.

AVOIR TOUJOURS FAIM

Il y a près de 30 ans, les autorités en matière de nutrition et de santé publique arrivèrent avec des recommandations officielles pour enrayer l'obésité. Il suffisait de réduire la consommation de viande et de gras, et d'augmenter celle des glucides (sucres).

La journée où j'ai entendu ça, je n'arrivais pas à y croire. Quel gâchis !

Toutes mes recherches sur le comportement alimentaire indiquaient exactement le contraire. Il faut **diminuer les glucides** et **augmenter les protéines** et les **bons gras**.

Voici ce que le professeur Walter Willett, grand chercheur en nutrition et épidémiologiste de l'université Harvard aux États-Unis dès 2002, écrivait sur le sujet : « Les recommandations officielles sont en partie responsables de l'épidémie d'obésité et de diabète qui touchent tous les pays… Elles ne préviennent pas les maladies chroniques et ne devraient pas être suivies par le public. »

Dans sa déclaration, il mettait en lumière l'influence des lobbies et des groupes de pression de l'industrie agroalimentaire qui manipulent les recommandations faites par les autorités officielles[1].

---

1. Thierry Souccar, *Santé, mensonges et propagande : arrêtons d'avaler n'importe quoi !* Paris, éditions Du Seuil, 2004, pp. 330-331.

Ce n'est que dernièrement qu'ils ont finalement reconnu leur erreur. Mais le mal était fait. Au cours de ces 30 dernières années, l'obésité a presque doublé dans nos sociétés. Mes recherches sur les causes physiologiques et psychologiques des pertes de contrôle alimentaire montrent que près de 80 % des gens en surpoids présentent des symptômes d'hypoglycémie réactionnelle (taux de sucre trop bas dans le sang) à différents moments de la journée à la suite d'un déséquilibre alimentaire : trop de sucre, pas assez de protéines, écart trop grand entre deux prises de nutriments protéinés.

Ce n'est pas une maladie, c'est une réaction physiologique naturelle basée sur le métabolisme des sucres et de certaines hormones dont l'insuline. Le sucre consommé déclenche rapidement la sécrétion d'insuline par le pancréas afin d'empêcher que le niveau de sucre dans le sang soit trop élevé et de rendre cette énergie disponible au niveau cellulaire. C'est donc l'insuline qui est responsable de l'hypoglycémie réactionnelle. Plus on consomme de sucre et plus on a toujours faim.

La plupart des gens qui en souffrent n'en prennent pas conscience. Ils ne font pas le lien avec leurs choix alimentaires mal équilibrés et leur sensation de toujours avoir faim. Le plus souvent, ils attribuent leur situation à leur condition mentale. Il s'ensuit de la culpabilité et du désespoir.

Les symptômes principaux et variables de l'hypoglycémie réactionnelle sont parmi les suivants et surviennent brusquement :

- une perte de contrôle alimentaire à des moments précis de la journée, le plus souvent, en fin d'après-midi. La volonté ne peut contrer ces fringales.

- une fatigue soudaine (coup de barre).

- une perte de concentration.

- une diminution de la mémoire.

- des tremblements des extrémités ou internes.

- un changement subit de l'humeur (irritabilité, anxiété, idées dépressives).

Ces symptômes disparaissent rapidement après une prise de glucides (sucres) à absorption rapide.

Mais à ce moment-là, il est déjà trop tard. C'est le début d'un cercle vicieux : hypoglycémie, fringale, plus de sucre ingéré, plus d'hypoglycémie, plus faim, plus de sucre : incompréhension, culpabilité, désespoir… incompréhension, culpabilité, désespoir.

Le secret : prévenir l'hypoglycémie, empêcher qu'elle ne survienne :

- diminuer la consommation des glucides, surtout les sucres rapides.

- augmenter la prise de protéines alimentaires ou en suppléments.

- dans un intervalle ne dépassant pas trois ou quatre heures selon les individus (à prendre **avant l'apparition** des fringales et autres symptômes).

L'effet est immédiat.

D'autres causes d'ordre physiologique peuvent aussi être responsables d'hyperphagie (ingestion de trop grandes quantités d'aliments) comme le manque de sommeil, les douleurs chroniques, l'irritation de l'estomac, la prise de médicaments tels que les bêtabloquants, les antihistaminiques, la cortisone, les antidépresseurs, les anticonvulsivants et les antipsychotiques parmi les plus fréquents[2].

---

2. Dr Maurice Larocque, *Motivation minceur: traitement révolutionnaire pour les personnes en surpoids*, Montréal, Québec, éditions Québecor, 2012, pp. 40-44.

2

LE RÉGIME KETO :
LE POUR ET LE CONTRE

À suivre ce qui se dit et se publie dans les différents médias, il y a de quoi être confus. Chaque semaine, il y a un nouveau traitement miracle, un produit miracle ou un conseil miracle pour maigrir. Qui dit vrai ? Récemment, on faisait la promotion du régime paléolithique (fréquemment nommé régime paléo), du jeûne prolongé ou intermittent, du régime pauvre en sucre, riche en gras… Le dernier en liste et tout récent est le régime KETO.

Il suscite un intérêt marqué.

Je suis médecin et j'ai consacré toute ma vie professionnelle depuis plus de 40 ans au traitement des personnes en surpoids. Quand j'ai lu que le régime KETO était nouveau, je ne pouvais pas le croire. J'ai traité et supervisé au-delà de

25 000 patients qui ont suivi un régime cétogène. J'ai publié dans des revues scientifiques et présenté dans des congrès internationaux les résultats de mes recherches[1].

KETO ?

Le régime KETO, c'est quoi ? KETO vient du mot anglais ketosis qui se traduit en français par cétose. La cétose est une **réaction naturelle** du corps à une privation de glucides. Lorsque le corps n'a plus assez de sucre pour lui fournir l'énergie nécessaire, il mobilise ses graisses, qui sont des réservoirs d'énergie, pour le moment où il en aura besoin.

C'est ainsi que le foie entre en jeu et à partir des graisses les transforme en trois corps cétoniques : l'acétylacétate, l'hydroxybutyrate et l'acétone. Ces cétones remplaceront le sucre comme source d'énergie et auront des effets différents sur le corps humain, dont une diminution de la faim, une sensation de bien-être physique et mental et un effet anti-inflammatoire puissant. Habituellement, cette adaptation ne prendra que deux ou trois jours. Certains chercheurs appellent ces cétones un médicament naturel. La bonne nouvelle est qu'on peut facilement les mesurer en urinant sur un petit bâtonnet, en vente à bas prix dans toutes les pharmacies. Une présence élevée de cétones signifie que votre corps s'est adapté à la privation de glucides et que vous êtes en train de perdre rapidement vos graisses.

---

1. Maurice Larocque et Stephen Stotland, « Primary care patients'preferences for Very Low Calorie Diets vs Low Calorie Diets », 9th International Congress in Obesity, August 2002.

Ce **mécanisme naturel d'adaptation** à une privation de glucides et de calories a permis à l'homme des cavernes de passer à travers les siècles jusqu'à aujourd'hui.

Le jeûne intégral est le premier régime cétogène qui fut utilisé pour maigrir dans les années 50-60 par les médecins qui hospitalisaient leurs patients. Devant les complications à moyen terme reliées surtout au manque de protéines, ils abandonnèrent cette technique au début des années 70 au Canada.

C'est à ce moment-là que des médecins et chercheurs américains, dont George Blackburn, chirurgien affilié à l'école de médecine de l'université Harvard, unirent leurs efforts. Ils découvrirent qu'un régime cétogène, pour être efficace et **sain pour la santé**, devait avoir une quantité de protéines presque du double nécessaire que lorsque le poids est stable. Ainsi un individu qui est à un poids stable a besoin de 0,8 g de protéines par kg de poids pour être en bonne santé. En perte de poids, ce besoin peut aller jusqu'à 1,5 g de protéines par kg de poids santé. Ils étudièrent aussi les besoins en nutriments, vitamines et sels minéraux pour assurer une bonne santé pendant la perte de poids. À la fin des années 70, cette technique basée sur la cétose et la privation de glucides, fut appelée, le Protein Sparing Modified Fast, le Jeûne Modifié d'Épargne de Protéines ou encore le régime protéiné[2].

2. GL Blackburn, BR Bistrian, JP Flatt & all, Role of a protein-sparing-modified fast in a comprehensive weight reduction program, Recent Advances in Obesity Research, vol. 1, 1975.

MÉDICAMENT NATUREL

Depuis, cette technique a fait l'objet de milliers de publications scientifiques et est encore abondamment utilisée de nos jours.

Imaginez s'il existait un médicament qui coupe l'appétit, donne un sentiment de bien-être physique et mental, et qui fait perdre du poids rapidement en meilleure santé! Tout ça, ce type de régime cétogène le fait **naturellement.** À ce jour, aucun médicament, ni aucune chirurgie bariatrique n'y arrivent[3].

Les résultats des très nombreuses recherches sur le régime cétogène ont identifié les **facteurs naturels d'adaptation** du corps à la privation de sucre (glucides):

– baisse de la glycémie (taux de sucre) dans le sang;

– baisse du taux d'insuline dans le sang;

– baisse et élimination de la résistance à l'insuline;

– production de corps cétoniques;

– diminution de l'acide lactique;

– équilibre azoté (épargne de la masse musculaire)[4].

Voici les problèmes de santé qui sont grandement améliorés et souvent même éliminés:

---

3. Shai & all, Weight loss with a Low-Carbohydrate, Mediterranean, pro Low-Fat Diet, New England Journal of Medicine, 2009.
4. M. Apfelbaum & all, Metabolic effects of low and very low calorie diets, International Journal of Obesity and related metabolic disorders, 1993.

– surpoids et obésité ;

– diabète de type 2 ;

– hypertension artérielle ;

– maladies cardiovasculaires ;

– syndrome métabolique ;

– hyperlipidémie (cholestérol, triglycérides) ;

– troubles de l'humeur (irritabilité, dépression, anxiété).

Voici les problèmes de santé potentiellement améliorés :

– asthme ;

– douleur chronique ;

– arthrose ;

– épilepsie ;

– cancer ;

– maladies inflammatoires.

Des recherches sont aussi en cours sur d'autres problèmes de santé :

– maladies d'Alzheimer et de Parkinson ;

– sclérose en plaques ;

– trouble du déficit de l'attention.

LA MODE KETO RICHE EN GRAS

Lorsqu'on parle de mode, on parle de médias. Netflix a produit un documentaire intitulé *The Magic Pill*, où on explique les bénéfices du régime cétogène. Un chef de cuisine australien a publié un livre de recettes où il a mis en valeur la consommation de gras alimentaires pour remplacer les glucides de l'alimentation. Des artistes du grand écran aux États-Unis en firent la promotion. Des entraîneurs physiques en recommandèrent l'utilisation pour des athlètes de haut niveau. Des coureurs du Tour de France adoptèrent avec succès ce type de régime pauvre en sucre et riche en matières grasses[5].

Mais à ce jour, il n'y a pas de recherche publiée sur les conséquences à moyen et long terme sur le corps humain, pendant une cure d'amaigrissement prolongée sur plusieurs mois.

Les recherches publiées concernent le traitement des gens porteurs de cancer. Les résultats à ce stade-ci sont intéressants. On préconise un régime cétogène (bas en sucre : moins de 20 g/jour) avec suffisamment de protéines de l'ordre de 1,5 g/kg de poids santé et la consommation de bons gras riches en oméga-3 pour combler les besoins et **ne pas maigrir**. Ceci veut dire qu'une consommation de matières grasses peut s'élever à 75 % de l'apport quotidien en calories.

---

5. Food Fight! The Swedish Low-carb/High Fat Movement and the Turning of Science Popularisation Against the Scientist : *Science as Culture*, vol. 21, No 3.

CONSULTATION VÉCUE

Il y a trois mois, je recevais Jeannine en consultation. Elle a 59 ans et vient de perdre 13 lb (6 kg) par elle-même au cours des trois mois précédents. Elle pèse 147 lb (67 kg). Elle avait été motivée à suivre un régime à la suite d'une prise de sang qui indiquait qu'elle était porteuse d'un diabète de type 2 et de triglycérides (sorte de gras) élevés dans le sang. Son médecin de famille lui avait suggéré fortement de perdre du poids sinon elle devrait prendre une forte médication jusqu'à la fin de ses jours.

Elle consulta Internet et choisit d'y suivre les indications d'un régime KETO pauvre en glucides et riche en matières grasses, sans aucun suivi professionnel. Très méticuleuse, elle comptait tout ce qu'elle mangeait. Sa consommation de glucides (féculents, sucre) ne dépassait pas 20 g/jour, soit l'équivalent d'une tranche de pain ou d'un fruit. D'autre part, sa consommation de protéines ne dépassait pas 60 g/jour avec 4 œufs, 2 oz (57 g) de viande grasse, fromage et bacon. En perte de poids, elle aurait eu besoin de 90 g/jour. Elle a calculé sa consommation de gras à 180 g/jour. Pour y arriver, elle consommait une douzaine de cuillères à café (5 ml) de matières grasses/jour sous forme de beurre et d'huile de coco. À ses dires, « ça lui sortait par les oreilles » et elle n'arrivait plus à les consommer.

Deux mois plus tard, elle tomba malade. Elle fit une otite aiguë et dut prendre des antibiotiques. Plus tard, elle nota de la mousse dans ses urines. Elle s'inquiéta et consulta son médecin quand elle se mit à avoir de la diarrhée de 5 à 10 fois par jour. Son médecin lui affirma qu'elle ne connaissait pas le régime KETO et lui conseilla de me consulter.

Je lui fis faire immédiatement une nouvelle prise de sang.

En comparant ses résultats de laboratoire avec ceux effectués quatre mois auparavant, j'ai constaté que sa glycémie et ses triglycérides (sorte de gras dans le sang) étaient revenus à la normale. C'est bien.

Mais elle avait un cholestérol total et LDL (mauvais cholestérol) plus élevés qu'avant son régime et au-dessus de la normale. Son calcium, ses globules blancs et ses plaquettes sanguines (coagulation du sang) étaient abaissés en bas de la normale, alors qu'ils étaient normaux avant son régime.

Ceci nous indique que tout en améliorant son diabète, son régime KETO riche en matières grasses sans suivi professionnel avait déréglé son système immunitaire et causé différents problèmes de santé.

MES CONCLUSIONS

Pour maigrir, un régime cétogène bien fait, en suivant des règles précises dictées par les recherches depuis 70 ans, a montré une efficacité sans pareille. La prise suffisante de protéines, de vitamines, de sels minéraux et d'acides gras essentiels assure une perte de poids rapide et saine.

La popularité du régime KETO pour perdre du poids repose sur la restriction des glucides, mais la prise de quantités importantes de matières grasses n'a pas fait l'objet de recherche.

Ce que mon expérience et mes recherches m'ont appris :

– pour maigrir, il faut consommer moins de calories ou en brûler plus.

– les régimes à basse et très basse teneur en calories, faibles en glucides (sucres), produisent des pertes de poids plus rapides, améliorent la santé et augmentent la motivation.

– il n'y a pas **une** diète miracle pour tout le monde.

– en perdant du poids, il est essentiel d'avoir suffisamment de protéines pour prévenir la fonte musculaire, conserver un bon métabolisme et faciliter le maintien du poids perdu.

– pendant un régime, il est essentiel d'avoir suffisamment de vitamines, sels minéraux et oméga-3 pour être en bonne santé.

– les glucides doivent être pris avec grande modération et particulièrement le sucre raffiné, le sucre de glucose-fructose de maïs et les pâtes raffinées.

– les aliments biologiques sans être indispensables sont un bon choix pour être en bonne santé.

– la consommation de protéines dans un intervalle ne dépassant pas habituellement trois ou quatre heures selon les individus, empêche les fringales et gère bien la faim.

– il est important pour la santé d'être à son poids santé.

– le meilleur régime est celui qui convient à l'individu et qu'il choisit de suivre.

– la qualité de l'intervention professionnelle est étroite-
ment associée à la perte de poids réussie.

– les changements d'ordre psychologique prédisent le
succès de la perte de poids.

– le suivi régulier hebdomadaire pendant la phase
d'amaigrissement et le suivi mensuel pendant la phase
de maintien sont les facteurs les plus significatifs de
succès à court et à long terme[6].

---

6. S. Stotland, M. Larocque, « Early treatment response as a predictor of
ongoing weight loss in obesity treatment », *British Journal of Health
Psychology*, nov. 2005.

3

ATTENTION AUX CALORIES

LE MARKETING DES ALIMENTS

La première vague d'obésité a débuté graduellement après la Deuxième Guerre mondiale et en raison de l'évolution de l'industrialisation et des moyens de communication. Les États-Unis menant la marche, un boom économique s'ensuivit dans presque tous les pays occidentaux.

Basée sur le concept du profit à tout prix, l'industrie agroalimentaire n'échappa pas à ce nouveau dogme. En 1971, le président américain, Richard Nixon, afin de gagner ses élections, demanda à son nouveau secrétaire à l'agriculture d'assurer au pays une abondance alimentaire pour tous les Américains, et ce, au plus bas prix possible.

C'en était fait de la façon conventionnelle de faire de l'agriculture. Les États-Unis comptaient à ce moment-là au-delà de cinq millions de petits fermiers. En 1974, trois ans plus tard, ils en comptaient moins de la moitié. On réussissait à produire davantage avec deux fois moins d'effectifs. Pour y arriver, on implanta des changements majeurs : fin des champs à pluricultures et implantation d'immenses champs de monocultures dédiés surtout au blé, au soja et au maïs. Le mot d'ordre des fermiers : devenir gros ou disparaître. Plus de la moitié d'entre eux disparurent presque du jour au lendemain, la majorité faisant faillite[1].

Les grandes entreprises agroalimentaires vinrent les remplacer avec comme mission de produire au maximum au plus bas prix possible pour les consommateurs, et en sous-entendu avec profit maximum pour les sociétés commerciales. Machinerie à haute performance, usage intensif d'herbicides, pesticides et engrais chimiques devinrent la nouvelle façon de cultiver. On passait définitivement d'une agriculture plutôt biologique à une culture hautement industrielle.

Grâce au pouvoir de persuasion de ces géants de l'alimentation et à leur marketing, rapidement on considéra la nouvelle agriculture comme normale et l'ancienne basée sur les effectifs naturels comme spéciale, anormale.

En 1978, la quantité de nourriture produite par habitant fit un bond prodigieux de 500 calories par jour. À ce rythme, chaque Américain pouvait engraisser d'une livre (500 g) par semaine. Avec l'aide de la publicité, la popularité des formats géants à moindre prix et la multiplication des centres d'approvisionnement (supermarchés, restaurants, stations-services,

---

1. William Reymond, *Toxic : obésité, malbouffe, maladie : enquête sur les vrais coupables*, Paris, Flammarion, 2007, 354 pages.

etc.), la nourriture devint omniprésente 24 heures sur 24. Impossible d'y échapper.

LA TOXICITÉ DES ALIMENTS

La deuxième vague d'obésité que j'appellerais un tsunami, a débuté en 1980.

D'éminents chercheurs aux États-Unis, dont le docteur George A. Bray, professeur émérite à l'Université d'État de Louisiane aux États-Unis, face à une recrudescence de l'obésité dans le monde dès le début de 1980, ont soupçonné que d'autres facteurs s'ajoutaient à ceux déjà connus pour expliquer ce que l'Organisation Mondiale de la Santé (OMS) a appelé une épidémie mondiale d'obésité. Des aliments seraient devenus toxiques pour le corps humain.

L'agriculture américaine maintenant subventionnée par l'État et totalement transformée depuis une décennie, on se retrouva rapidement avec des stocks considérables de maïs et peu chers. On chercha donc comment en disposer. Au début de 1980, un Japonais trouva la façon chimique de transformer le maïs en sirop de glucose-fructose de maïs. Ce nouveau sirop pouvait remplacer le sucre conventionnel à moindre coût. Coca-Cola décida alors de remplacer le sucre de ses boissons gazeuses estimant ses économies entre 20 et 30 %. Toutes les autres sociétés commerciales emboîtèrent le pas. En 1980, on estimait que la consommation de sucre par habitant s'élevait à 55 kg (120 lb). Aujourd'hui, elle est estimée à 80 kg (175 lb). La moitié vient du sirop de glucose-fructose de maïs. On en retrouve même dans les sirops pour le rhume, les ketchups et la plupart des aliments transformés.

Pendant ce temps-là, on assista à une explosion d'obésité chez les adultes, mais aussi chez les jeunes. Des chercheurs sonnèrent l'alarme. En 2000, deux chercheurs démontrèrent que le corps humain ne réagissait pas de la même façon quand les calories étaient ingérées sous forme solide ou sous forme liquide. Quatre cent cinquante (450) calories de sucre pris sous forme solide ne provoquaient pas de gain de poids, car les sujets de l'étude diminuaient spontanément d'autant leur consommation totale de calories de la journée. Pris sous forme liquide, le corps ne reconnaissait pas le surplus de calories et les accumulait en surplus de poids

Le professeur Robert H. Lustig est un endocrinologue pédiatrique américain à l'Université de Californie, San Francisco (UCSF) où il est professeur de pédiatrie clinique. Ses recherches démontrent que le sucre est toxique pour le corps humain. Pris en quantité sur une longue période de temps, le sucre endommage tout particulièrement le foie. Il est responsable du syndrome métabolique, de la résistance à l'insuline, de la stéatose hépatique (foie gras), de l'augmentation du diabète de type 2, des triglycérides sanguins, de maladies cardiaques et même de cancer[2].

Un groupe de chercheurs du Harvard School of Public Health, après avoir analysé 40 ans de recherche médicale, arrivèrent à la conclusion qu'une canette de boisson gazeuse par jour, pris en surplus de ses besoins quotidiens, pouvait provoquer un gain de poids de 7 kg (15 lb) par an.

---

2. Robert H. Lustig, *Sucre l'amère vérité : comment le sucre et les aliments industriels nous rendent gros et malades. Comment sauver notre santé*, Vergèze, France, Thierry Souccar éditions, 2017, 391 pages.

Pendant ce temps-là, l'élevage industriel des bovins, des poules, et même des poissons explosa. Grâce à de nouvelles méthodes comme les engrais chimiques, les pesticides, les herbicides, les antibiotiques, les hormones de croissance et les modifications à la façon de les nourrir, on a réussi à produire quatre fois plus de viande. Comme on a remplacé la nourriture que les animaux trouvaient dans la nature comme l'herbe ou la luzerne, riches en oméga-3, par des grains céréaliers comme le maïs et le soja, riches en oméga-6, moins chers et plus faciles à produire, on a créé un déséquilibre entre deux acides gras essentiels (AGS), les oméga-6 et les oméga-3. Il faut savoir que les oméga-6 sont pro-inflammatoires et que les oméga-3 sont anti-inflammatoires. Le ratio idéal serait de 1 pour 1. Aujourd'hui ce ratio peut s'établir jusqu'à 60 pour un. La majorité des maladies dites de civilisation, maladies cardiaques, maladies vasculaires, maladies arthritiques et même cancers, en seraient la conséquence[3].

Devinez, l'obésité crée un état inflammatoire. La perte de poids est anti-inflammatoire. En quelques jours seulement de régime amaigrissant, je constate chez mes patients une diminution des symptômes de l'asthme, des douleurs arthritiques et des symptômes d'angine de poitrine.

LES CALORIES NE SONT PAS TOUTES ÉGALES

Lorsqu'une journaliste a demandé au Dr Martin Juneau, directeur de la prévention à l'Institut de cardiologie de Montréal et professeur à la Faculté de médecine de l'Université de Montréal, si une calorie, c'est une calorie, peu importe

---

3. Pierre Weill, *Mangez, on s'occupe du reste*, Paris, Plon, 2014, 248 pages.

si elle provient du Coca-Cola ou du brocoli, ce dernier a tranché rapidement : « C'est une aberration de dire ça ».

Et je suis tout à fait d'accord avec lui.

La thermogenèse alimentaire, c'est-à-dire les coûts énergétiques pour digérer les aliments sont différents les uns des autres. Ils sont influencés par la nature des macronutriments consommés. Le coût énergétique associé à la consommation d'alcool (dépendant de la quantité ingérée) est d'environ 5 à 10 %, soit une augmentation comparable à celle causée par l'ingestion de glucides.

Les lipides (graisses) bénéficient d'une faible thermogenèse (environ de 2 à 3 %) ce qui leur confère une rentabilité énergétique très élevée.

Enfin, la part de la dépense énergétique associée à la consommation de protéines chez l'être humain se situe entre 20 et 30 %.

Ceci veut dire que les nutriments protéinés font moins engraisser que les nutriments glucidiques, qui à leur tour font moins engraisser que les matières grasses. Comme la grande majorité des aliments sont formés de deux ou trois nutriments, les coûts énergétiques diffèrent d'un aliment à l'autre. Ainsi le corps dépense plus de calories à digérer un poisson qu'un steak de bœuf qui est plus gras.

La morale de cette histoire est qu'on ne doit pas donner trop d'importance aux calories des aliments, telles que mentionnées dans les informations nutritionnelles. Il est cependant important que vous ayez une bonne idée approximative de ce que vous consommez pour vous aider à faire de meilleurs choix. Il y a autant de calories dans une salade César que dans un Big Mac. Il y autant de calories dans un verre de lait, un jus de fruits qu'une bière.

4

FACTEURS
PRÉDICTIFS DE SUCCÈS

QUATRE FACTEURS PRÉDISENT LE SUCCÈS

En novembre 2005, le *British Journal of Health Psychology*, un journal scientifique international avec comités de révision par les pairs, publia les résultats de notre étude *Early Treatment Response as a Predictor of Ongoing Weight Loss in Obesity Treatment*[1].

Ceci marqua un changement complet de paradigme du traitement de l'obésité.

Cette étude a pu identifier quatre facteurs qui prédisent le **succès d'une perte de poids** sur une période de neuf mois :

---

1. Stephen Stotland et Dr Maurice Larocque, « *Early treatment response as a predictor of ongoing weight loss in obesity treatment* », *British Journal of Health Psychology*, nov. 2005.

1. un régime plutôt protéiné et bas en sucre ;
2. une perte de poids rapide ;
3. un changement rapide des habitudes ;
4. un suivi régulier.

Encore plus remarquable, les quatre facteurs inverses prédisent un **gain de poids** sur une période de neuf mois :

1. un régime conventionnel ;
2. une perte de poids lente ;
3. un changement lent des habitudes ;
4. un suivi moins fréquent.

L'année suivante en 2006, nous avons fait la même recherche auprès de patients français et de leurs médecins. Nous avons eu exactement les mêmes résultats que nous avions eus au Canada.

Comme vous le constatez, ces quatre derniers facteurs qui sont recommandés par des nutritionnistes et certains professionnels de la santé sont voués à l'échec.

Les mentalités sont longues à changer.

Pourtant, en leur faisant part de nos résultats de recherche, mes patients n'en étaient pas surpris et affirmaient spontanément : « Je sais que c'est vrai parce que ma perte de poids rapide me motive et que je n'ai pas faim. »

Plus d'une dizaine d'années plus tard, je suis encore totalement convaincu qu'un régime faible en calories, faible en glucides et suffisamment protéiné avec vitamines et sels minéraux en quantité adéquate est un outil privilégié pour lutter contre l'obésité. J'ai de la difficulté à imaginer que nous pourrons trouver un jour un régime plus performant qui produit une perte de poids rapide, sans avoir faim, en bonne santé, avec un sentiment de bien-être, sans perte musculaire, sans ralentissement métabolique significatif, motivant et facilitant le maintien du poids. Ce type de régime est tout à fait naturel et repose sur les capacités du corps humain à survivre en période de privation ou de famine.

Si une société pharmaceutique possédait un médicament avec les mêmes caractéristiques, imaginez le nombre de personnes en rang à la pharmacie pour s'en procurer.

UN FACTEUR PRÉDIT LE MAINTIEN DU POIDS PERDU

Aujourd'hui la plupart des scientifiques s'entendent pour dire que perdre du poids est relativement facile, mais que le maintien du poids perdu après un régime amaigrissant est impossible ou presque. Ils véhiculent à outrance cette affirmation désespérante et mensongère que seulement 5 % des gens maintiendront leur poids perdu.

Or, je ne connais aucune recherche scientifique qui mesure le succès d'une perte de poids de cette façon.

En 1998, en collaboration avec la docteure Réjeanne Gougeon du département de nutrition de l'Université McGill, j'ai présenté au 8ᵉ Congrès International sur l'Obésité à Paris et publié en 1999 dans un journal scientifique américain, *The American Journal of Bariatric Medicine*, les résultats d'une étude portant sur les stratégies pour le maintien du poids à long terme.

Pendant plus de quatre ans, nous avons cherché les facteurs prédictifs du succès du maintien du poids perdu. Nous en avons trouvé un seul : avoir un suivi mensuel avec réponse au Questionnaire Poids Mental (QPM). Ce court test, d'une durée d'une dizaine de minutes, mesure les habitudes et comportements susceptibles de provoquer une prise de poids. Ce test peut être fait en centre d'amaigrissement Motivation Minceur ou par Internet. *(NDLR : voir plus de détails au chapitre suivant)*

Ainsi les personnes qui après avoir atteint leur poids désiré n'avaient pas fait de suivi, après quatre ans, avaient en moyenne un maintien de 6 % du poids perdu maintenu.

Alors que les personnes qui après avoir atteint leur poids désiré, avaient un suivi mensuel et répondu au QPM, avaient en moyenne un maintien de plus de 80 % du poids perdu maintenu.

Nous nous sommes demandé pourquoi être suivi et répondre à un questionnaire prédisaient des résultats aussi significatifs et impressionnants. Notre conclusion est que ça permet de rester focalisé sur l'objectif et d'identifier rapidement les comportements déficients.

J'aimerais ici attirer votre attention sur le 6 % du poids perdu maintenu après 9 mois : c'est encore un succès. Il vaut mieux l'avoir en moins[2].

Méfiez-vous des prophètes de malheur, fussent-ils des professionnels de la santé.

---

2. Dr Maurice Larocque et Réjeanne Gougeon, *Traitement de l'obésité : stratégie pour le maintien du poids à long terme.* 8e Congrès International sur l'Obésité, Paris, 1998.

5

COMPRENDRE
LE COMPORTEMENT HUMAIN

THÉRAPIE COMPORTEMENTALE (TC)

À la fin des années 70, je traitais l'obésité comme les autres médecins le faisaient, avec des régimes hypocaloriques, médicaments et injections. Cependant, après une perte de poids réussie, la plupart des patients reprenaient leur poids perdu.

C'était quoi le problème ? J'ai rapidement réalisé que le régime amaigrissant n'était que la moitié du traitement. L'être humain n'est pas qu'un métabolisme ou un tube digestif.

En 1967, une première publication scientifique portant sur la Thérapie Comportementale (TC) dans le traitement de l'obésité vit le jour. A ce moment-là, la TC était perçue par la plupart des professionnels de la santé et je m'inclus, comme la **solution** aux comportements déficients et au manque d'activité physique.

La TC est basée sur l'expérimentation d'Ivan Pavlov sur le réflexe conditionné (un chien salive au son d'une cloche après un entraînement approprié). Ainsi une habitude est acquise par répétition et s'éteint à sa cessation après un certain temps[1]. Enthousiaste, je croyais bien avoir trouvé la solution manquante aux problèmes de surpoids de mes patients.

J'ai alors engagé 20 professionnels de la santé, médecins, infirmières, psychologues et entraîneur physique. Avec le soutien d'experts en communication et en audiovisuel, j'ai développé une série de 12 rencontres de groupe portant sur les principes de la TC :

- la tenue d'un journal alimentaire ;

- le contrôle des stimuli liés à l'environnement ;

- manger lentement (20 minutes) ;

- l'établissement de buts réalistes en perte de poids ;

- la récompense des bons comportements ;

- les informations nutritionnelles appropriées ;

- l'activité physique recommandée ;

- le soutien familial et de l'entourage ;

---

1. Carol Tavris et Carole Wade, « Béhaviorisme : Approche qui met l'accent sur l'étude du comportement observable et du rôle de l'environnement en tant que déterminant du comportement ». *Introduction à la psychologie – Les grandes perspectives*, Montréal, Saint-Laurent, ERPI, 1999, p. 182.

– la perception positive du régime amaigrissant ;

– l'entraînement à l'affirmation de soi ;

– les techniques de relaxation.

C'était une nouvelle façon d'aborder la personne en surpoids et marquait une évolution dans l'approche médicale.

Malheureusement, mon enthousiasme fut de courte durée. Un an plus tard, je fis une étude pour mesurer l'efficacité de la TC comparée à une approche conventionnelle (AC) chez deux groupes de patients qui avaient les mêmes caractéristiques et qui suivaient le même régime. Après 16 semaines, le groupe AC avait perdu en moyenne 21 lb (10 kg) comparativement à 22 lb (10,5 kg) pour le groupe TC[2].

Vraiment pas significatif.

Et en bonus, un échec financier. J'étais vraiment déçu.

LE QUESTIONNAIRE POIDS MENTAL (QPM)

Les échecs sont de merveilleuses opportunités. J'ai pris la relève de ces professionnels de la santé et j'ai moi-même animé les rencontres de groupe.

Ayant suivi ces patients pendant au moins un an, j'ai réalisé que j'avais probablement plus appris d'eux qu'eux de moi.

---

2. Dr Maurice Larocque, *Motivation minceur : traitement révolutionnaire pour les personnes en surpoids*, Montréal, Québec, éditions Québecor, 2012, pp. 136-138.

À ce moment-là, je me répétais constamment :

Si je pouvais mesurer ce qui se passe dans la tête de mes patients, entre leurs deux oreilles, je serais probablement beaucoup plus efficace pour les aider.

Un matin, l'idée m'est venue : **Le Poids Mental.** C'était le chaînon manquant.

Au début des années 80, c'était le début de l'informatique à usage domestique. Je mettrais au point un questionnaire court, facile à faire par le patient lui-même, qui mesurerait les comportements responsables de son problème et en suivrait mensuellement l'évolution comme un pèse-personne mesure l'évolution du poids corporel.

Avec l'assistance de médecins et d'experts en psychologie, nous avons identifié 5 critères susceptibles de jouer un rôle dans le surpoids :

1. les habitudes alimentaires et l'activité physique ;

2. la motivation à maigrir ;

3. la perception de l'image mentale (évaluation personnelle en tant qu'être humain) ;

4. les symptômes physiques du stress ;

5. les émotions (dépression, colère, anxiété, culpabilité, tristesse).

En 1982, la première version du Poids mental vit le jour. Aujourd'hui plus de 500 000 tests ont été faits dans le monde.

En 2004, nous avons eu la confirmation scientifique de la validité du QPM[3].

Je peux vous dire aujourd'hui qu'autant je ne pourrais pas traiter une personne en surpoids sans connaître son poids corporel, autant je ne pourrais pas l'aider sans connaître son Poids Mental et ses résultats.

LES CHANGEMENTS PSYCHOLOGIQUES PRÉDISENT LA PERTE DE POIDS

Une nouvelle confirmation scientifique de l'utilité du QPM est parue en 2014. Cette étude fut faite par D[re] Caroline Larocque (elle est effectivement ma fille) de l'Université de Sherbrooke.

Elle fut publiée dans la revue scientifique française *Annales Médico-Psychologiques,* en 2015 sous le titre :

L'effet de la relation thérapeutique sur les résultats d'une intervention pour le traitement de la perte de poids.

Pour une des premières fois dans un journal scientifique, elle a démontré que la qualité de la relation thérapeutique est **corrélée** avec des **changements psychologiques** (stress, perfectionnisme, motivation négative, dépression et habitudes alimentaires) qui **prédisent** la perte de poids[4].

---

3. Stephen Stotland et Dr Maurice Larocque, Convergent validity of the Larocque Obesity questionnaire and self-reported behaviour during obesity treatment. Psychological Reports, 2004.

4. Caroline Larocque *et al.*, « L'effet de la relation thérapeutique sur les résultats d'une intervention dans le traitement de la perte de poids », *Annales médico-psychologiques*, 2015.

Ceci signifie que le **QPM est essentiel** pour **identifier** les facteurs psychologiques responsables et en **suivre l'évolution** mensuelle.

LA THÉRAPIE COGNITIVO-COMPORTEMENTALE (TCC)

En octobre 1984, c'est le gros lot. J'assistais à la rencontre annuelle de l'Association Américaine des Médecins Traitant l'Obésité (ASBP) à Las Vegas.

Assis dans la dernière rangée d'une grande salle de conférence, j'écoutais un psychologue qui parlait surtout de thérapie cognitivo-comportementale dans le traitement de l'obésité. Je fus frappé par la foudre. Enfin, je venais de prendre conscience du chaînon manquant, le pourquoi une personne se comporte de façon répréhensible envers elle-même.

Comment se faisait-il que je ne l'avais pas appris alors que j'étais à la Faculté de médecine ? Comment se fait-il que ce ne soit pas encore enseigné de nos jours dans le cursus universitaire des médecins ?

Dans les années 50 et 60, deux Américains, Robert Ellis, psychologue, et Aaron Beck, psychiatre, ont mis de l'avant la Thérapie Cognitivo-Comportementale (TCC) dans le traitement des émotions et de la dépression.

Cette méthode repose sur le concept que les pensées, les émotions et les comportements sont reliés. En changeant ses pensées erronées ou irréalistes, la personne peut modifier ses émotions négatives et son comportement malsain. Mais à la vérité, le père de la TCC est un philosophe grec, Épictète, qui vécut entre 55 et 135 après J.-C. Il est reconnu pour sa phrase célèbre : « *Ce qui trouble les hommes, ce ne sont pas les choses, mais les opinions qu'ils en ont.* »

Motivé par le désir profond d'aider mes patients en surpoids, convaincu de l'efficacité de cette méthode, je développpai un outil de communication en quatre étapes qui explique bien les comportements humains, tout particulièrement ceux des personnes en surpoids : l'A, B, C, D.

Ces quatre étapes sont toujours présentes et se suivent dans l'ordre :

A : *Un événement*
Quelque chose se passe dans ma vie à ce moment-ci.

B : *Ma pensée*
Ma perception de l'événement.

C : *Mon émotion automatique*
Soudainement, je ressens une ou des émotions.

D : *Mon comportement automatique.*
Quand l'émotion est intense, je vais adopter un comportement ou me réfugier dans une habitude qui a tendance à me calmer.

Dans un premier temps, remarquez bien les trois mots suivants : *Ma, Mon, Mon.*

Ceci signifie que nous sommes les seuls responsables de nos pensées, de nos émotions et de nos comportements.

Ni les événements ni les autres ne peuvent être responsables de nos habitudes ou de nos comportements.

Dans un deuxième temps, remarquez le mot *automatique.*

Cela veut dire que pour vos émotions et vos comportements, lorsque l'émotion est intense, elle est hors du contrôle de votre volonté. Quand vous êtes en situation émotionnelle intense, même si vous ne voulez pas perdre votre contrôle alimentaire, vous le ferez probablement quand même.

Enfin, vous réalisez que pour avoir un meilleur contrôle sur vos émotions, vos comportements et vos habitudes, vous devez absolument changer vos pensées et vos croyances.

Fait surprenant, c'est probablement plus facile que vous ne le croyez.

(NDLR: Pour plus de détails sur comment utiliser cette méthode, voir le livre: Motivation Minceur[5] et le programme sonore: Bien dans votre tête, Bien dans votre corps[6].)

Depuis 30 ans, il ne s'écoule pas une journée sans que je reçoive un témoignage comme quoi cette technique ABCD a changé leur vie. Ce que je peux confirmer par leurs résultats du Questionnaire Poids Mental.

THÉRAPIE COGNITIVE ET PLEINE CONSCIENCE

Récemment, de nouvelles approches ont été ajoutées à la TCC afin de prévenir les rechutes de dépression: la Pleine Conscience et la Méditation[7].

---

5. Dr Maurice Larocque, *Motivation minceur*, Montréal, Québec, éditions Québecor, 2012, pp. 47-59.

6. Dr Maurice Larocque, *Bien dans votre tête, Bien dans votre corps*, programme sonore, www.motivationminceur.ca.

7. S.G. Hofmann and G.J.G. Asmundson, Acceptance and mindfulness-based therapy: New wave or old hat? Clinical Psychology Review 28 (2008), pp. 1-16.

Jon Kabat-Zinn, professeur émérite à l'École de médecine de l'Université Massachusetts aux États-Unis a développé un programme antistress en ce sens.

Il a publié de nombreuses recherches sur la façon d'intégrer ces nouvelles techniques en médecine. Il s'intéresse tout particulièrement à la relation esprit et corps sur la santé physique et mentale.

En focalisant sur le moment présent et sur la respiration, il a pu démontrer un effet antistress impressionnant qui fait que sa méthode est enseignée maintenant dans des hôpitaux, des prisons et dans des écoles[8].

Comme initiation à la méthode, je vous suggère de prendre quelques secondes pour suivre ces recommandations :

Assoyez-vous confortablement et portez votre attention sur votre respiration, quitte à y revenir si elle s'égare.

Portez votre attention sur l'air qui entre dans vos poumons.

Expirez lentement.

En inspirant, suivez bien le trajet de l'air qui entre dans votre corps.

En expirant, suivez bien son trajet qui sort de votre corps.

Répétez trois fois.

Maintenant, inspirez normalement et ressentez le calme.

---

8. Jon Kabat-Zinn, *Mindfulness for Beginners*, livre et CD.

En expirant, évacuez toutes les émotions négatives.

Répétez trois fois l'exercice.

En suivant ces quelques étapes faciles, après quelques jours, vous serez probablement surpris de voir une amélioration notable dans la gestion de votre stress.

(NDLR : Afin de faciliter l'application de cette méthode, consultez le programme sonore Méditation Minceur[9].)

LA SCIENCE DU COMPORTEMENT ALIMENTAIRE ÉVOLUE

Au cours des 50 dernières années, on a vu la science et nos recherches apporter une compréhension nouvelle du comportement alimentaire et du traitement de l'obésité. Voici cinq découvertes qui changent complètement notre façon d'intervenir auprès des personnes en surpoids qui veulent maigrir :

1. Les changements rapides (régime cétogénique [KETO] protéiné, perte de poids rapide, changement rapide des habitudes alimentaires et un suivi régulier) prédisent une perte de poids réussie[10].

---

9. Dr Maurice Larocque, *Méditation minceur*, programme sonore, www. motivationminceur.ca.

10. Stephen Stotland et Dr Maurice Larocque, « Early treatment response as a predictor of ongoing weight loss in obesity treatment », *British Journal of Health Psychology*, nov. 2005.

2. Il y a deux aspects à la motivation qui s'opposent. C'est la motivation négative (voir chapitre 9) qui est responsable des échecs et elle peut être éliminée[11].

3. L'amélioration de facteurs psychologiques (stress, perfectionnisme, motivation négative, dépression et habitudes alimentaires) prédit une perte de poids.

4. La qualité du suivi et l'alliance thérapeutique (suivi régulier, utilisation d'outils de motivation et soutien de qualité) prédisent la perte et le maintien du poids perdu.

5. Nos pensées jouent un rôle primordial dans les centres du cerveau reliés au contrôle de soi[12].

Il est vraiment plus que temps que la communauté médicale change son attitude défaitiste et apporte de l'espoir à ceux qui souffrent dans leur corps et dans leur âme.

---

11. Stephen Stotland et Dr Maurice Larocque, « Positive and negative dimensions of weight control motivation », *Eating Behaviours*, October 2011.

12. S. Neseliler, W. Hu, K. Larcher, M. Zacchia, M. Dadar, S. Scala, M. Lamarche, Y. Zeighami, S.C. Stotland, M. Larocque, E.B. Marliss, and A. Dagher, « Neurocognitive and Hormonal Correlates of Voluntary Weight Loss in Humans », to be published in *Cell Metabolism*, January 2019.

6

LES GÈNES
NE SONT PAS LE DESTIN

Il y a 45 ans, alors que j'étais à faire mon internat pour devenir médecin, j'ai eu un professeur, un endocrinologue en
charge du département de nutrition, qui ne croyait pas au
traitement médical de l'obésité.

Je ne pouvais pas le croire et je lui ai fait part de mon
questionnement. Avec un sourire en coin et son arrogance
habituelle, il me répondit :

« Tu es jeune et optimiste, mais avec l'âge tu vas comprendre que tous les gens reprennent leur poids perdu. C'est
génétique. »

WOW ! Il ne croyait pas à l'humain. Nous étions tous
programmés. Quel message désespérant ! Heureusement,
comme jeune médecin, je ne l'ai pas cru. Ç'a été le début de

ma mission sur terre. J'allais lui démontrer qu'il avait tort et j'apporterais de l'espoir pour tous ces gens porteurs de surpoids qui souffrent dans leur corps et dans leur âme.

Aujourd'hui, je peux dire que j'avais raison et qu'il avait tort.

Chaque jour, je reçois des témoignages me disant que grâce à ma méthode, leur vie a changé.

Voici ce que T. H. Chan de l'Université Harvard aux États-Unis écrivait récemment :

« La recherche pour identifier les gènes responsables de l'obésité a commencé il y a plusieurs décennies. Les avancées rapides en biologie moléculaire et le succès du Projet Génome Humain ont accéléré cette recherche. Les résultats ont permis d'identifier plusieurs facteurs génétiques pour seulement une très rare forme d'obésité… Ce qui est **extrêmement clair** à ce jour, c'est que des centaines de gènes pouvant être liés au comportement, au choix de la nourriture et à l'obésité habituelle, y jouent **un rôle très petit**. Nos gènes ne sont pas notre destinée. Plusieurs personnes peuvent avoir des gènes d'obésité sans jamais devenir en surpoids. **Les modifications du style de vie peuvent modifier l'expression de ces gènes.** »

Le Projet Génome humain a commencé à la fin des années 80. Son but était d'identifier tous les gènes humains. Les scientifiques étaient très excités : dès l'an 2000, ils auraient réussi et une nouvelle ère commencerait. Ils pourraient remplacer les gènes malades, guérir les gens et prolonger leur vie en santé. Ils s'attendaient à devoir identifier plus de 120 000 gènes.

En avril 2003, ils avaient réussi, ils les avaient tous identifiés. Cependant, il n'y en avait que 25 000.

Un ver primitif comptant moins de 1 000 cellules a près de 24 000 gènes.

Le corps humain avec plus de 50 milliards de cellules en a 25 000.

Un singe a 99 % de notre code génétique, un cochon 95 %.

Un grain de riz a 35 000 gènes.

Où est le problème ?

Les mêmes scientifiques ont dû admettre :

« Il n'y a pas assez de gènes pour expliquer la complexité de l'être humain, ses caractéristiques et son comportement. »

LA DÉSINFORMATION

Malheureusement, plus de 40 ans plus tard et malgré nos nouvelles connaissances en génétique et en comportement, plusieurs experts en obésité véhiculent encore les mêmes faussetés et le désespoir. Un autre endocrinologue qui fut responsable du même département universitaire de nutrition clame que les gens ne peuvent pas perdre et maintenir le poids perdu. Métabolisme et génétique ! Il recommande la chirurgie bariatrique pour des surpoids de 20 kg.

Incroyable mais vrai. Pour moi, c'est un crime contre l'humain en surpoids. Un professionnel de la santé, soi-disant expert en obésité, n'a pas le droit d'enlever l'espoir à un autre humain.

Dans un article récent d'un journal médical, un chirurgien bariatrique avouait qu'il ne savait vraiment pas ce que ces chirurgies faisaient et causaient à long terme comme complications.

Malheureusement, j'entends régulièrement ces pseudo-experts prôner le désespoir, ne pas croire en l'humain et recommander la chirurgie bariatrique. Leur problème tient au fait que ce qui ne se mesure pas, ça n'existe pas en médecine. Les émotions, la motivation, la volonté, le libre arbitre, ça n'existe pas en médecine.

On n'a pas encore compris la connexion esprit et corps.

L'ÉPIGÉNÉTIQUE, UNE NOUVELLE SCIENCE

La bonne nouvelle : nous ne sommes pas prisonniers de nos gènes.

Mais qui est responsable ?

Au début des années 2000, les scientifiques retournèrent au travail. Une nouvelle science est née : l'épigénétique. C'est l'étude des facteurs externes et environnementaux qui activent ou pas les gènes.

Ces modifications ne changent pas la séquence ADN des gènes, mais comment les cellules « lisent » les gènes.

Le Dr Bruce Lipton est un pionnier dans ce domaine. Il a démontré comment l'environnement intervient au niveau cellulaire à travers sa membrane. De 1987 à 1992, Lipton a été actif en recherche à l'Université Penn State et à l'Université Stanford. Il est un biologiste américain bien connu pour ses idées sur le pouvoir des croyances sur les gènes. Je vous recommande son livre : *Biologie des croyances*[1].

Les nouvelles études démontrent que les facteurs environnementaux peuvent influencer les gènes de deux manières : par les **facteurs physiques** comme la nutrition, la pollution, les produits toxiques et le manque d'activité physique, et par les facteurs **non physiques** comme les émotions, l'anxiété, la dépression, la colère, le stress et les champs magnétiques.

Une étude très intéressante a été faite au Japon sur des étudiants en médecine. Neuf mois avant leur examen final pour l'obtention de leur diplôme de médecin, on a mesuré leur ADN (gènes). On a répété la mesure deux jours avant l'examen final. Cela a permis de démontrer que le stress élevé avait modifié 24 gènes principalement reliés au système immunitaire.

Le Dr Dean Ornish, professeur à l'Université de Californie à San Francisco, a démontré qu'une meilleure nutrition, un apprentissage à la gestion du stress en utilisant la Pleine Conscience (respiration profonde) et une technique de relaxation, et de visualisation mentale, des patients porteurs d'un cancer de la prostate avaient vu des modifications de plus de 500 gènes et une régression de leur maladie.

---

1. Bruce H. Lipton, *Biologie des croyances : comment affranchir la puissance de la conscience, de la matière et des miracles*, Outremont, Québec, Ariane Éditions, 2016, 305 pages.

Publiées dans des journaux scientifiques, des centaines d'études démontrent le pouvoir de l'esprit sur les gènes.

ARRÊTEZ DE BLÂMER LA GÉNÉTIQUE

Des chercheurs en Europe et en Amérique du Nord ont analysé plus de 10 000 participants qui voulaient perdre du poids et sont arrivés à la conclusion que vous ayez ou pas des gènes dits de l'obésité, vous pouviez tout aussi bien maigrir.

Ceci signifie que vous n'êtes pas prisonnier de votre biologie ni de vos gènes. Et ceci est aussi vrai, peu importe votre âge, votre sexe ou votre origine ethnique.

Le problème tient au fait que la plupart des programmes amaigrissants se concentrent uniquement sur ce que vous mangez et non pas sur pourquoi vous prenez du poids.

L'IGNORANCE DES EXPERTS

Malheureusement, encore beaucoup d'experts universitaires ne reconnaissent pas ça.

Voici ce qu'ils disent :

« Probablement qu'une majorité de gens ont une prédisposition génétique au surpoids en relation avec leur histoire familiale et ethnique. Pour que cette prédisposition s'exprime en obésité, il doit y avoir des comportements alimentaires, des habitudes de vie et des facteurs environnementaux favorisants. Quelques-uns de ces facteurs incluent :

1. *L'accessibilité à une nourriture abondante à toute heure du jour et de la nuit, à des endroits où habituellement on n'en vend pas comme dans une station d'essence, une pharmacie ou des magasins de détail;*

2. *Une diminution de l'activité physique tant au travail que dans les loisirs, principalement chez les enfants;*

3. *Une augmentation du temps passé devant le téléviseur, l'ordinateur ou à faire des activités sédentaires;*

4. *L'invasion de la nourriture transformée, de la restauration-minute, des boissons sucrées soutenues par une publicité omniprésente.*

En ayant une meilleure compréhension de la contribution de la génétique à l'obésité et ses interactions avec l'environnement, nous comprendrons mieux les chemins qui mènent à l'obésité.

Ces informations une fois acquises nous laissent entrevoir des stratégies prometteuses pour prévenir et traiter l'obésité. *N'oublions pas qu'à ce moment-ci le rôle de la génétique est petit et que la toxicité de notre environnement est énorme*[2].

Le jour promis est déjà là.

Je suis encore sous le choc de voir que des experts en santé ne comprennent pas le comportement humain.

Aucun mot sur les pensées, les émotions, la motivation et les comportements.

---

2. Wikipédia, épigénétique.

Je sais qu'on ne peut pas les mesurer dans une éprouvette. Mais depuis bientôt 40 ans, on peut mesurer le Poids Mental, ce qui se passe dans la tête des gens.

« Chers experts, le jour promis où vous comprendrez mieux les comportements qui conduisent à l'obésité est déjà là. Réveillez-vous. »

7

LA MATIÈRE N'EXISTE PAS

LA MÉCANIQUE QUANTIQUE

À la fin du 19e siècle, des scientifiques réalisèrent que la physique classique n'arrivait pas à expliquer plusieurs phénomènes naturels. Une douzaine d'entre eux se mirent au travail si bien que le 14 décembre 1900, un physicien allemand, Max Planck, publia le résultat de ses recherches qui marqua la base d'une nouvelle forme de physique : **la théorie quantique.**

D'autres scientifiques comme Albert Einstein, Niels Bohr, Louis de Broglie, Erwin Schrödinger et Paul M. Dirac y apportèrent leur contribution, et ceci marqua le développement de la mécanique quantique : une application mathématique de la théorie quantique. De nos jours, la combinaison de la mécanique quantique avec la théorie de la relativité d'Einstein est la base de la physique moderne.

La mécanique quantique est la science de l'infiniment petit. Elle est la branche de la physique qui a pour objet d'étudier et de décrire les phénomènes fondamentaux à l'œuvre dans les systèmes physiques, plus particulièrement à l'échelle atomique et subatomique[1].

Voici quelques-uns des principes fondamentaux:

1. LA MATIÈRE EST UNE ILLUSION.
Les atomes qui la composent sont en fait un flot continu et vibratoire d'ÉNERGIE.

2. LA DUALITÉ ONDE ET PARTICULE.
Selon l'instrument de mesure utilisé, l'atome a des propriétés physique ou énergétique.

3. LE PRINCIPE D'INTERRELATION.
Toutes les énergies interagissent ensemble dans l'univers et forment un champ quantique.

4. LE PRINCIPE DE RÉSONANCE.
Deux ondes d'énergie aux caractéristiques semblables, positives ou négatives, lorsqu'elles se rencontrent produisent une **interférence constructive**, doublant leur intensité. Quand elles ne sont pas coordonnées, une onde positive en rencontrant une négative, elles produisent une interférence destructive, réduisant leur énergie.

5. LE PRINCIPE DE NON-PERMANENCE.
Les particules atomiques et les ondes apparaissent et disparaissent constamment.

---

1. Lynne McTaggart, *L'univers informé: la quête de la science pour comprendre le champ de la cohérence universelle*, Outremont, Québec, Ariane Éditions, 2005, 358 pages.

6. Le principe d'incertitude.
En physique quantique, seules les probabilités existent.

7. Le principe des opposés.
Pour exister, une particule est formée d'énergies opposées et complémentaires.

Vous connaissez plusieurs applications dérivées de la physique quantique : **le laser, le transistor, le microscope électronique, l'ordinateur, le téléphone intelligent et la résonance magnétique**[2].

LA BIOLOGIE QUANTIQUE

Regardez le dos de votre main. Que voyez-vous ? De la peau.

Maintenant regardez votre peau avec une loupe. Vous voyez des poils et des pores de peau.

Prenez un microscope et que voyez-vous ? Des cellules.

Si vous preniez un microscope électronique, vous verriez des atomes et des électrons.

De nos jours, un appareil encore plus sophistiqué, appelé accélérateur de particules, nous permet de dire qu'il n'y a pas de matière. Il n'y a que de l'énergie. Si on pouvait voir, on réaliserait que tout est noir.

Au cours des 50 dernières années, des centaines d'études scientifiques ont été publiées sur le sujet. Elles démontrent que ces forces invisibles du spectre électromagnétique ont

2. Wikipédia : physique quantique.

une influence majeure sur la régulation biologique, sur les gènes, sur les protéines, sur la reproduction des cellules, sur les hormones et sur les cellules nerveuses.

Une étude importante publiée il y a une quarantaine d'années a démontré que les signaux électriques issus des fréquences électromagnétiques étaient 100 fois plus efficaces pour transférer l'information environnementale que les signaux physiques véhiculés par les hormones et les neuro-transmetteurs.

Malheureusement, la médecine a été réticente et l'est encore à intégrer les principes de biologie quantique dans son curriculum. À ma connaissance, aucune école de médecine n'aborde le sujet.

Comme les sociétés pharmaceutiques n'y voient pas de profit et pire, ont peur de vendre moins de médicaments, et comme ils subventionnent plus de 80 % de la recherche, je ne suis pas très optimiste à assister à de rapides découvertes en biologie quantique.

LES PRINCIPES QUANTIQUES APPLIQUÉS À L'HUMAIN

1. La matière est une illusion

Les atomes qui la composent sont en fait un flot continu et vibratoire d'ÉNERGIE.

Comme au cours du dernier siècle, les physiciens ont démontré que la matière n'est en fait que de l'énergie avec des formes vibratoires spécifiques selon les informations véhiculées, il faut admettre que les émotions, nos croyances et nos pensées font partie de ce champ énergétique.

2. La dualité onde et particule

Selon l'instrument de mesure utilisé, l'atome a des propriétés physiques ou énergétiques.

Ce principe est l'un des plus bizarres et a fasciné philosophes et physiciens.

Il met en évidence que le seul fait de l'observer modifie la réalité. Ceci veut dire qu'individuellement, nous créons notre monde par nos perceptions, vraies ou fausses.

3. Le principe d'interrelation

Toutes les énergies interagissent ensemble dans l'univers et forment un champ quantique.

L'évolution humaine est reliée à la mémoire de ce champ. Quand deux particules se rencontrent, elles gardent la mémoire de l'autre. Ceci veut dire que tout ce qui existe, toutes nos expériences de vie, nos pensées et nos émotions sont enregistrés. Tout est relié.

4. Le principe de résonance

Deux ondes d'énergie aux caractéristiques semblables, positives ou négatives, lorsqu'elles se rencontrent, produisent une interférence constructive, doublant leur intensité. Quand elles ne sont pas coordonnées, une onde positive en rencontrant une négative, elles produisent une interférence destructive, réduisant leur énergie.

Ceci signifie que nous attirons dans nos vies, des événements et des personnes qui ont une résonance avec nous, autant positive que négative.

5. Le principe de non-permanence

Les particules atomiques et les ondes apparaissent et disparaissent constamment.

Les particules sont toujours en mouvement. C'est un mouvement perpétuel. Sans ce mouvement, il n'y a pas de vie. C'est le fondement même de notre existence. Ainsi, nous sommes une nouvelle personne chaque instant. Il n'y a que le changement qui ne change pas.

6. Le principe d'incertitude

En physique quantique, seules les probabilités existent.

La certitude n'existe pas. Nous devons tous éliminer les **exigences** que nous avons envers les autres et envers nous-même. La perfection n'existe pas.

7. Le principe des opposés

Pour exister, une particule est formée d'énergies opposées et complémentaires.

Tout ce qui existe dans cet univers a son opposé : bon/mauvais, amour/haine, paix/guerre, richesse/pauvreté… Tout s'influence afin d'**assurer l'évolution.**

La **physique quantique** n'est pas facile à comprendre. Elle dépasse ce que nous avons appris jusqu'à présent. Mais elle est le lien manquant qui nous permet de comprendre d'où nous venons, où nous sommes et vers où nous nous dirigeons.

8

LES PENSÉES SONT CRÉATRICES

FACILE COMME ABCD

Depuis plus de 45 ans, comme j'ai toujours cru en l'humain et en son pouvoir de faire des choix, j'utilise les principes de psychologie moderne pour aider mes patients à mieux gérer leur poids. Toute la méthode Motivation Minceur, à partir du Questionnaire Poids Mental aux outils de motivation, livres, programmes vidéo et sonores, la documentation ainsi que les programmes de formation pour les intervenants, toute la méthode est basée sur l'approche de thérapie cognitivo-comportementale (TCC).

En développant l'ABCD comme outil d'apprentissage et thérapeutique *(NDLR : voir chapitre 5 et la TCC)*, j'ai rapidement réalisé que les émotions sont **automatiques**. Vous ne décidez pas d'être en colère, vous l'êtes. Vous ne décidez pas d'être déprimé, vous l'êtes.

Et pourtant deux personnes différentes ne ressentent pas la même émotion à la suite du même événement. Pourquoi ?

Après un événement vécu, vous ressentez **spontanément**, instantanément, et **hors du contrôle de votre conscient,** quelque chose d'agréable ou de désagréable. Comment cela se fait-il ?

Je me suis aussi rendu compte que quand l'intensité de l'émotion ressentie était forte, c'est-à-dire à 7 ou plus sur une échelle de 10, un **comportement compensatoire automatique** s'exprimait, hors du contrôle de la volonté.

Par exemple, vous savez que vous ne devriez pas dévier de votre régime, mais c'est plus fort que vous, plus fort que votre volonté, et vous aurez quand même une perte de contrôle alimentaire. Comment cela se fait-il ?

Aucune explication physiologique, ni par neurotransmetteurs, ni par hormones, ne peut vraiment expliquer totalement ce phénomène.

La physique quantique le peut.

Comme tout est énergie sur cette planète, qu'elle voyage à des vitesses inimaginables et qu'elle répond à ses propres principes physiques, cette nouvelle science nous donne les explications.

L'ÉNERGIE DU CERVEAU

Depuis 1924, nous savons que le cerveau a une activité électrique. Cela a été mesuré pour la première fois par un électroencéphalographe (EEG). Cet appareil mesure les fluctuations de voltage des cellules du cerveau. À ce moment-là, cette découverte a été décrite comme « *surprenante et remarquable dans l'histoire de la neurologie clinique* ».

Depuis les années 70 et le développement de la résonance magnétique, la science a évolué au grand bénéfice de la médecine. Avec l'usage de champs magnétiques puissants et d'ondes radio, on peut avoir des images impressionnantes de l'intérieur du corps humain.

Aujourd'hui, on parle d'imagerie par résonance magnétique (IRM) *fonctionnelle*. Particulièrement utilisée en recherche comportementale, l'IRM *fonctionnelle* peut mesurer comment le cerveau réagit à différents stimuli. Ainsi, on est en mesure d'évaluer les effets de diverses pensées sur le cerveau.

RECÂBLAGE DU CERVEAU

En novembre 2013, le magazine *Discover* titrait : *Recâblage du cerveau pour soigner les troubles obsessifs compulsifs* (TOC). Comme sous-titre, on pouvait lire : *Cette thérapie révolutionnaire qui repose sur la méditation et la pleine conscience pour traiter les TOC, suggère que même le cerveau adulte a la capacité de **neuroplasticité**, signifiant qu'il peut se réorganiser en formant de nouvelles connexions neuronales tout au long de la vie.*

Le docteur Jeffrey M. Schwartz, l'auteur de l'étude, est un médecin de l'Université de Californie à Los Angeles (UCLA). Il est reconnu dans le monde comme une autorité dans les TOC. Cette maladie empoisonne la vie de ceux qui en souffrent en provoquant des peurs et des pensées récurrentes irréalistes qui les forcent à des comportements répétitifs[3].

Sa recherche a duré plusieurs mois avant de pouvoir identifier clairement les régions du cerveau affectées. Contrairement aux sujets normaux, ceux qui souffraient d'un TOC manifestaient une hyperactivité des cellules du cerveau (hyper brillance au PET scan) dans certaines régions précises, même au repos.

Une fois ces régions connues, il passa au traitement. Il appliqua des techniques de thérapie cognitive (TCC) pendant 10 semaines. En mesurant à nouveau l'activité électrique des neurones, il constata une amélioration remarquable des circuits impliqués (diminution de la brillance au *scan*) en même temps qu'une amélioration clinique remarquable.

Mesurer le contrôle de soi durant la perte de poids est maintenant possible grâce à une étude récente faite à Montréal.

Je fais partie d'un groupe de chercheurs de l'Université McGill qui utilise les techniques modernes d'IRM fonctionnel dans le traitement de l'obésité. Nous évaluons et identifions les régions du cerveau impliquées lorsqu'un sujet visualise des images de nourriture alors qu'il suit un régime amaigrissant.

Voici un résumé des premières conclusions en ce qui concerne des changements dans la région temporale du

---

3. Jeffrey M. Schwartz, R. Gladding, *You are not your brain*, Penguin group, 2011.

cerveau reliés au contrôle de soi pendant une perte de poids volontaire[4].

Ces résultats suggèrent que la perte de poids initiale était associée à une plus grande activité électrique dans les régions du cerveau reliées au contrôle de soi et à une réduction de l'énergie dans les régions sensibles aux stimuli visuels.

Notre étude est très intéressante en ce qu'elle mesure dans le cerveau le **pouvoir du contrôle de soi.** Le contrôle de soi dépend entièrement de la **motivation** et **des pensées** en regard des choix alimentaires à faire, des bénéfices à obtenir et de la perception des efforts à y consacrer au jour le jour.

Cette étude nous permet donc de dire que nos **pensées sont de l'énergie** qui peut être mesurée dans notre cerveau par IRM et qu'il n'y a **rien de permanent** comme nous le savons par la physique quantique. Le changement est à la base de l'univers.

C'est pourquoi depuis 40 ans, je redis: «*Nous sommes une nouvelle personne chaque jour.* »

L'EFFET PLACEBO

Vous êtes probablement familier avec ce mot. En fait, il s'agit d'une préparation, ou d'un traitement **dépourvu de tout principe actif,** utilisé pour son effet psychologique afin de **guérir**.

---

4. S. Neseliler, W. Hu, K. Larcher, M. Zacchia, M. Dadar, S. Scala, M. Lamarche, Y. Zeighami, S.C. Stotland, M. Larocque, E.B. Marliss, and A. Dagher, «Neurocognitive and Hormonal Correlates of Voluntary Weight Loss in Humans», to be published in *Cell Metabolism*, January 2019.

Ma première prise de conscience comme médecin de la puissance de l'effet placebo s'est produite en début de carrière. Un de mes confrères me raconta l'histoire d'un de ses patients. Il reçut au cabinet un ami auquel il diagnostiqua une bursite de l'épaule. Comme il était dentiste et qu'il ne pouvait plus travailler, il lui recommanda une infiltration de cortisone. Ce qu'il fit sur-le-champ avec succès. Quelques jours plus tard, il reçut un coup de téléphone de son ami. Son état ne s'était pas amélioré. Une semaine plus tard, il le convia à répéter l'infiltration. Mais cette fois-ci, il ne réussit pas à s'introduire dans l'articulation. Il n'injecta rien. Il retira l'aiguille, jeta la seringue avec son contenu à l'insu de son patient. Il rajouta : « Je crois que cette fois-ci ce sera beaucoup plus efficace. »

Le lendemain, il reçut un autre appel téléphonique de son ami : il était guéri et de retour au travail.

Les chercheurs savent que l'effet placebo peut stimuler les réponses physiologiques du corps humain, allant du rythme cardiaque et de la tension artérielle, à des changements dans l'activité chimique et électrique du cerveau impliquant la douleur, l'anxiété, la dépression, la fatigue et même le parkinson. Nous savons aussi qu'entre 30 et 60 % des maladies répondent bien aux placebos. Pour prouver l'efficacité d'un médicament, les sociétés pharmaceutiques doivent démontrer que non seulement leur molécule a les effets désirés, mais que ces effets sont statistiquement significatifs, c'est-à-dire plus efficaces que ceux du groupe placebo.

Pour la plupart des médicaments analysés pour mise en marché, l'effet placebo est aussi puissant et souvent plus puissant que la molécule elle-même. Par exemple, les deux premières études sur le Prozac (antidépresseur de nouvelle génération) n'ont pas démontré d'efficacité supérieure au placebo. C'est seulement la troisième étude qui a démontré une efficacité supérieure et qui a servi à le mettre sur le marché auprès des médecins prescripteurs.

On peut se demander pourquoi l'effet thérapeutique des médicaments n'est si souvent pas plus efficace qu'un placebo et même souvent moins efficace.

Dr Ted J. Kaptchuk de l'École de médecine de l'Université Harvard aux États-Unis, est un des rares chercheurs qui s'intéressent aux mécanismes physiologiques derrière l'effet placebo, à savoir ce qui se passe dans le corps humain et le cerveau.

Une de ses conclusions se lit comme suit : « Les **perceptions du patient** et comment le **médecin communique ces perceptions** ont un effet significatif sur la santé du patient. »

Il arriva à ses conclusions par hasard au début des années 2000. Il collaborait à ce moment-là avec un gastro-entérologue qui étudiait le syndrome du côlon irritable (SCI) caractérisé par de la douleur abdominale, de la diarrhée et de la constipation. L'expérience consistait à diviser 262 adultes souffrant de SCI en 3 groupes :

1. un groupe contrôle, sans traitement, à qui on disait qu'ils étaient sur une liste d'attente pour des traitements éventuels ;

2. un deuxième groupe qui recevait de faux traitements d'acupuncture avec peu d'interactions avec le thérapeute ; et

3. un troisième groupe qui recevait aussi de faux traitements d'acupuncture, mais avec beaucoup d'attention pour au moins 20 minutes à chaque traitement.

Les résultats furent surprenants. Les patients qui notèrent la plus belle amélioration de leurs symptômes furent ceux du troisième groupe qui avaient reçu le plus d'attention.

C'est alors que Dr Kaptchuk eut cette brillante idée :

« *Qu'arriverait-il si je disais aux gens qu'en fait ils prennent tout simplement un placebo ?* »

Il développa un autre protocole de recherche où il compara deux groupes de patients souffrant de SCI : un groupe sans traitement du tout et un deuxième groupe à qui on dit aux patients qu'ils prenaient un médicament placebo (tel qu'inscrit sur la bouteille), en ajoutant que les placebos ont souvent des effets curatifs.

Les chercheurs furent renversés par les résultats : le groupe prenant le médicament placebo en toute connaissance de cause rapporta deux fois plus d'amélioration des symptômes que le groupe sans traitement.

Le docteur Kaptchuk conclut : « *La différence entre les deux groupes était tellement significative qu'elle se comparait à l'amélioration notée dans les études avec les meilleurs médicaments pour le SCI.*[5] »

De nos jours, en utilisant de nouvelles technologies, des chercheurs ont démontré que les traitements avec placebo

---

5. Ted J. Kaptchuk & al, *Components of placebo effect : randomised controlled trial in patients with irritable bowel syndrome*, BMJ, 2008.

pouvaient provoquer des réponses chimiques dans le cerveau, similaires à celles provoquées par des substances actives. Plusieurs neurotransmetteurs sont en jeu, telles la dopamine et la sérotonine. Ces études révèlent des changements électriques et métaboliques dans différentes régions du cerveau. Publiées dans *Le Journal de Neuroscience* en 2006 et 2008, des études montrèrent que les traitements avec placebos intervenaient dans les régions du cerveau qui sont impliquées dans la perception de la douleur.

Indéniablement **les pensées sont vraiment créatrices.**

À travers les années, plusieurs études différentes ont démontré le pouvoir de l'effet placebo en regard de médicaments, de traitements et de chirurgies dans différentes maladies comme celles du système cardio-vasculaire, du système nerveux central et même orthopédique.

À cet égard, une étude publiée en 2002 dans le prestigieux *New England Journal of Medicine* par Bruce Moseley est remarquable[6].

Il prit 180 patients souffrant d'ostéo-arthrite du genou. Voulant évaluer l'efficacité de la chirurgie arthroscopique pour cette condition qui consistait à un débridement et à un lavage de l'articulation, il divisa ces patients en deux groupes aléatoires (choisis au hasard). Les deux groupes, croyaient-ils, recevraient le même traitement chirurgical. En réalité, alors qu'un groupe subissait la chirurgie, l'autre groupe après l'incision initiale, ne reçut aucun débridement, ni lavage de

---

6. Moseley JB, Wrap NP, O'Malley K. « Arthroscopic Surgery for Osteoarthritis of the Knee (letter) », *New England Journal of Medicine*. 2(347) :1718-1719.

l'articulation. L'évaluation des résultats fut faite par des experts qui ne savaient pas quels patients avaient reçu la vraie chirurgie. On mesura leur évolution à plusieurs reprises sur une période de 24 mois par un questionnaire et des tests de marche et d'escalier.

En aucun moment, le groupe ayant reçu la chirurgie du genou n'a rapporté moins de douleur, ni plus d'amélioration fonctionnelle que le groupe placebo.

WOW! Ceci nous amène à réaliser le pouvoir des pensées et le désir de guérir.

L'EFFET NOCEBO

Nous savons maintenant que les perceptions sont souvent la clé de la guérison, mais elles peuvent aussi être responsables de maladies, d'effets secondaires des médicaments et même de mort.

Un chirurgien de l'Université de Sherbrooke écrit dans son livre: « *Le médecin doit faire attention quand il diagnostique une maladie et en prédit l'issue. Il peut tuer cette personne[7].* »

Je suis tout à fait d'accord avec lui.

Si la personne s'attend à se sentir mieux avec un médicament ou un traitement médical, il pourra l'être, même si le médicament est fait de sucre ou que le traitement est un simulacre.

---

7. Ghislain Devroede, *Ce que les maux de ventre disent de notre passé*, Paris, Éditions Payot, 2002, 310 pages.

Mais l'effet placebo a un envers de la médaille : des personnes vont se plaindre d'être pires après avoir pris une substance inerte. Ils peuvent se plaindre de maux de tête, de fatigue, d'insomnie, de faiblesse, de douleur à l'estomac, de nausées, d'étourdissements et autres symptômes qui n'étaient pas présents avant la prise du placebo.

L'effet nocebo active une région différente du cerveau associée à la mémoire et à l'anxiété, l'hippocampe.

Alors on peut dire que les pensées positives sont positivement créatrices alors que les pensées négatives sont négativement créatrices.

La physique quantique explique bien ces phénomènes par ses principes de dualité et d'opposition.

UNE ÉMOTION EST ÉNERGIE

Différentes émotions, différentes énergies.

Lorsque vous êtes en colère, vous sentez probablement l'intensité agressive de cette énergie. Lorsque vous ressentez de l'anxiété ou de la peur, vous ressentez une énergie intense mais différente. Ainsi quand vous ressentez de la tristesse, de la culpabilité ou de la déprime, vous ressentez différentes énergies, à différentes intensités.

On peut maintenant dire que **l'émotion est en fait l'énergie de la pensée.**

À travers nos expériences de vie, nous développons des pensées qui ont un contenu énergétique selon nos perceptions de ces événements. Par exemple, pensons au mot *mariage,* un conjoint amoureux va ressentir un merveilleux sentiment de bien-être, un divorcé récent pourra sentir monter en lui une énergie agressive ou de grande tristesse ou les deux.

Le même mot, des émotions différentes, des énergies différentes.

Et à cause du principe de résonance, les énergies tendent à attirer le même genre d'énergies (trop souvent négatives), en en multipliant l'intensité et en entraînant un comportement compensatoire automatique comme une perte de contrôle alimentaire ou boulimie ou une autre dépendance.

C'est pourquoi j'affirme que nos pensées sont créatrices. Heureusement, je ne suis pas le seul à le dire.

Or, je reçus un jour une lettre d'une personne qui s'y opposait :

« *J'ai lu le livre* Le Secret. *Ils parlent de la loi de l'attraction qui dit que de fortes pensées positives sont créatrices et que si tu visualises ce que tu veux, ça va arriver. Je veux désespérément maigrir, j'ai fait tout ce qu'ils m'ont dit de faire dans le livre, j'ai écrit mon poids désiré, je me visualise chaque jour à mon poids désiré dans mon maillot, mais ça ne fonctionne pas. Je pèse encore 110 kg. Comment ça ? Ça ne fonctionne pas ce truc-là !* »

Je vous répète que les pensées sont créatrices, mais c'est vrai pour les pensées positives et aussi pour les pensées négatives.

Cette personne semble avoir des pensées positives quant à sa volonté de perte de poids, mais qu'en est-il de ses pensées négatives ?

Je lui ai demandé de me rencontrer à mon cabinet et de passer le Questionnaire Poids Mental (*NDLDR: Voir chapitre 5, le Questionnaire Poids Mental*).

Son résultat fut élevé et correspondait à son poids corporel actuel. En l'interrogeant, elle m'informa qu'en maigrissant, elle avait peur de perdre sa protection. Finalement, elle prit conscience qu'elle se protégeait de relations amoureuses futures à la suite de plusieurs séparations douloureuses dans le passé. Elle ne voulait plus revivre de rejet. Elle avait un blocage sexuel.

Comme nous avons vu en physique quantique, le principe de résonance stipule que deux ondes énergétiques différentes s'annulent lorsqu'elles se rencontrent. Il n'y aura pas d'action.

Certains psychologues ont évalué que nous avons quelque chose comme 90 000 pensées par jour, dont la plupart sont malheureusement négatives. Je suis convaincu que la grande majorité des gens en surpoids ou obèses, au fond d'eux-mêmes, veulent maigrir, être mieux dans leur corps et dans leur âme. Ils ont aussi essayé et échoué plusieurs régimes amaigrissants. Leur problème est leurs pensées négatives, leur motivation négative, leur blocage de motivation. Une fois débarrassée de ces blocages, la perte de poids se fait facilement.

(*NDLR: Lire* Maigrir par la Motivation *pour identifier vos blocages*[8].)

---

8. Maurice Larocque, *Maigrir par la motivation: obtenez la silhouette dont vous avez toujours rêvé*, Montréal, Québec, Éditions Quebecor, 2006, 221 pages.

9
MOTIVATION ?

DÉCOUVERTE EN MOTIVATION

D ans la gestion du poids, la motivation est la pièce maîtresse. Certains jours, nous sommes très motivés et le
lendemain nous pouvons ne pas l'être du tout. Philosophes et
psychologues cherchent à définir ce qu'est la motivation
depuis des siècles.

Voici quelques définitions trouvées :

– *Des facteurs intrinsèques et extrinsèques qui stimulent
le désir chez les gens pour les intéresser à un travail, à
un rôle ou un sujet, et pour déclencher l'effort afin d'atteindre leur but.*

– *Une force ou influence qui fait qu'une personne passe à
l'action.*

– Une ou des raisons qui font agir d'une certaine façon.

– Le désir ou la volonté de faire quelque chose.

WOW ! Des facteurs, une force, une raison, le désir, la volonté. J'ai l'impression que personne ne sait ce qu'est vraiment la motivation.

La définition de la motivation que j'ai utilisée avec mes patients pendant 25 ans était basée sur des théories datant des années 1970 qui déterminaient deux sortes de motivation : intrinsèque et extrinsèque.

La motivation intrinsèque repose sur le désir de bénéfices d'ordre spirituel. C'est fondé sur la satisfaction de soi. *« Je veux perdre du poids pour être bien dans ma tête et dans mon corps. »*

La motivation extrinsèque est à l'opposé. Elle s'appuie sur des pressions ou des influences extérieures à l'individu. *« Je veux perdre du poids pour mon conjoint. »*

Les experts en psychologie s'attendaient à ce que la motivation intrinsèque soit beaucoup plus performante pour la perte et le maintien du poids perdu.

En 1982, j'ai développé un questionnaire de motivation basé sur ces principes. Vingt ans plus tard, nos études ont démontré que ça ne fonctionnait pas. On n'a trouvé aucun lien entre la motivation intrinsèque, la motivation extrinsèque et la perte de poids réussie.

En 2000, après l'analyse de dizaine de milliers de données issues du Questionnaire Poids Mental (QPM), nous sommes arrivés aux conclusions suivantes :

- **Premièrement**: La **souffrance** physique et psychologique est **toujours** le facteur de motivation premier qui amorce la consultation pour maigrir. C'est vrai aussi pour les autres addictions comme pour l'alcool, la cigarette ou les drogues. La personne se dit: *J'en ai marre d'être mal. Je n'en peux plus.*

- **Deuxièmement**: Quand la souffrance n'est plus ressentie même si l'objectif de perte de poids n'est pas encore atteint, la personne va souvent arrêter son régime amaigrissant. Ceci arrive fréquemment après une perte d'une dizaine de kilos. Elle a atteint son objectif inconscient. Elle se dit: *Je suis moins mal. Je peux donc recommencer mes comportements plaisants.*

- **Troisièmement**: La satisfaction profonde d'avoir obtenu un état de bien-être mental est malheureusement rarement touchée. C'est en grande partie parce que la majeure partie des gens ne savent pas ce que c'est d'être bien dans sa peau. Ils n'ont jamais connu cet état de bien-être. Ils se disent: *J'ai tout pour être heureux, argent et confort. J'ai perdu 10 kg et je ne souffre plus de mon surpoids. Donc je suis bien dans ma peau.* Mais les efforts sur soi-même exigent un engagement psychologique profond et à long terme. Et cet engagement fait peur. On ne veut pas revivre les souffrances souvent reliées à l'enfance. On les occulte. Bien qu'il soit souhaitable, ce sentiment de bien-être profond n'est pas totalement indispensable à la réussite à court et à long terme. Vous saurez que vous y êtes arrivé quand vous vous direz: *Je ne veux plus jamais perdre cet état de bien-être.*

– **Quatrièmement:** Les opérations mentales sont indispensables au succès. Si vous ne vous répétez pas quotidiennement ou presque les bénéfices perçus et si vous pensez régulièrement aux efforts que ça vous demande de suivre un régime, votre motivation va baisser rapidement et dramatiquement. Vous trouverez de multiples excuses pour expliquer vos mauvais choix: *Ce n'est pas réaliste de se priver les week-ends. C'est la fête d'un ami. C'est jour de fête. Seulement pendant les vacances…* Si vous voulez mieux gérer votre motivation et vos choix alimentaires, vous devez quotidiennement ramener à votre conscience les bénéfices extraordinaires que vous récoltez en faisant les bons choix. *Si je veux être motivé et en bonne forme mentale, je vais continuer à faire mon jogging mental quotidiennement tout en me visualisant dans les bénéfices recherchés.*

Quelques années plus tard, après avoir analysé 40 000 QPM provenant de trois pays différents, nous avons découvert qu'il y avait en fait deux sortes de motivation qui se faisaient compétition l'une et l'autre: la motivation positive et la motivation négative. Ces résultats furent présentés et acceptés pour présentation scientifique au 11e Congrès international sur l'Obésité tenu en Suède en 2010. En 2011, ces résultats furent publiés dans le prestigieux journal scientifique avec comité de révision par les pairs, *Eating Behaviors,* sous le titre:

Les dimensions positives et négatives de la motivation à la perte de poids[1].

---

1. Stephen Stotland, Maurice Larocque, «Positive and negative dimensions of weight control motivation», *Eating Behaviors*, October 2011.

Ce que nous avons trouvé :

1. La motivation positive repose sur les buts et bénéfices à acquérir (moins de souffrance, plus de satisfaction de soi). Même si elle est essentielle pour le
   succès de la perte de poids à court terme, elle n'est
   pas suffisante à long terme. À peu près tout le monde
   en surpoids possède cette motivation positive. C'est
   normal de vouloir bien paraître, d'être en bonne
   santé et bien dans sa peau.

2. La motivation négative est la pierre angulaire. C'est
   seulement en la diminuant que la motivation positive va pouvoir vous aider à réussir votre démarche
   de perte de poids. C'est exactement comme si vous
   leviez le pied du frein permettant ainsi à votre auto
   d'avancer.

Nous avons identifié quatre facteurs négatifs en regard
des choix alimentaires à faire :

- le **ressentiment** de devoir suivre un régime ;

- le **regret** de perdre la nourriture appréciée et
  apaisante pendant le régime ;

- la perception du **trop grand effort** à faire pour y
  arriver ;

- le **doute** dans la réussite.

Ces quatre facteurs sont basés sur des **perceptions**. Ce
n'est pas la réalité qui est en jeu, mais bien la pensée qu'on
en a.

Comme vous le voyez, ces quatre facteurs négatifs sont des **émotions** :

- le ressentiment est de la colère ;

- le regret est de la tristesse ;

- le trop grand effort à faire est relié à un manque d'estime et de confiance en soi ;

- le doute dans la réussite est aussi un manque de confiance en soi.

Un ou plusieurs de ces facteurs peuvent être responsables d'une forte motivation négative et de l'échec.

LA MOTIVATION EST UNE ÉMOTION

Comme nous avons vu, pendant des siècles, la motivation a été difficile à définir. Revenons au chapitre 5, à la thérapie cognitive (TCC) et à la séquence ABCD qui expliquent non seulement le comportement humain, mais aussi la motivation.

Examinons ensemble cette situation qui vous est peut-être familière :

A : Un événement : Je n'ai pas pu acheter les vêtements que je désirais à cause de mon surpoids.

B : Ma pensée : J'en ai assez de mon apparence actuelle.

C : Mon émotion : Je suis très motivé à entreprendre une cure d'amaigrissement.

D : Mon comportement : Je m'inscris chez Motivation Minceur.

La motivation est le C. Ce n'est pas la volonté, ni le désir, ni une force, ni un facteur, c'est une émotion, un ressenti.

Comme une émotion est automatique, ce qui signifie qu'elle est hors du contrôle du conscient, il est inutile de se dire : *Vas-y! Motive-toi!* Vous le savez, puisque vous l'avez souvent fait et ça ne fonctionne pas.

Si vous voulez bâtir une motivation positive à toute épreuve, vous devez travailler sur la séquence B, votre pensée[2]. Vous vous dites que les bénéfices recherchés en valent vraiment la peine.

Maintenant analysons la dimension négative de votre motivation :

A : Un événement : Je n'ai pas pu acheter les vêtements que je désirais à cause de mon surpoids.

B : Ma pensée : J'aimerais paraître mieux mais je ne peux pas supporter de faire un régime. C'est injuste.

C : Mon émotion automatique : Les facteurs positifs de ma motivation sont faibles. Les facteurs négatifs (sentiment de privation-colère) sont très forts.

D : Mon comportement automatique : Je me console en mangeant.

---

2. Maurice Larocque, *Motivation minceur*, Éditions Québecor, 2012, pp. 46-54.

Comme vous voyez, la seule façon d'améliorer la motivation est en changeant votre façon de penser, la séquence B.

LA MOTIVATION EST DE L'ÉNERGIE

En se reportant au chapitre 5 et à la physique quantique, nous savons maintenant que tout sur la planète est énergie. Nous avons vu que les pensées sont créatrices, que les émotions sont de l'énergie et que la motivation l'est aussi.

Ceci signifie que la motivation a deux sortes d'énergie qui se font compétition, les énergies positives et les énergies négatives.

Imaginez deux ondes opposées qui s'affrontent, cela crée une interférence destructrice, anéantissant la motivation. Il n'y aura pas le comportement souhaité. C'est le principe de résonance.

Notre étude sur les dimensions positives et négatives de la motivation chez les sujets en surpoids a clairement montré ces conclusions fondamentales pour la perte et le maintien du poids perdu :

1. Bien que la motivation positive basée sur les bénéfices à acquérir (moins de souffrance, plus de bien-être personnel) soit indispensable.

2. C'est seulement en éliminant la motivation négative que la perte de poids va être un succès.

COMMENT ÉLIMINER LA MOTIVATION NÉGATIVE

- Le **ressentiment** en regard du régime est une émotion qui anéantit la motivation positive. Basé sur la pensée que *c'est injuste de devoir faire un régime, que c'est inacceptable...*, cela conduit directement à l'échec. Pourtant toutes ces pensées sont irréalistes, c'est-à-dire qu'elles n'existent pas dans la réalité, seulement dans votre tête.

Si vous avez un surpoids ou que vous êtes obèse, il est juste et acceptable de tout faire pour maigrir. Posez-vous la question : *Est-ce que je suis juste avec moi-même en n'essayant pas de maigrir ?*

- Le **regret** important de perdre des aliments aimés pendant un régime est aussi une émotion négative qui met en péril la motivation positive. *Au régime, j'ai l'impression de perdre mon meilleur ami.*

D'une façon plus réaliste, vous devriez penser au regret de ne pas être à votre poids santé et aux conséquences. *Mon meilleur ami, c'est moi, pas la nourriture.*

- **Faire un régime, c'est trop d'effort pour moi** est une pensée négative qui repose en fait sur un manque de confiance en soi et une autodépréciation. Ça conduit directement à l'échec. C'est une autre pensée totalement irréaliste comme si être en surpoids ou obèse ne coûtait pas beaucoup d'effort pour se pencher, marcher, monter l'escalier, bouger, se regarder dans le miroir, d'être mal dans sa peau... C'est encore une question de choix.

– **Le doute quant à la réussite** de perdre ou de maintenir le poids perdu repose sur une perception irréaliste puisque le futur n'existe pas.

Comme la motivation est de l'énergie, elle n'existe que dans le moment présent. Ici et maintenant. Imaginez que vous êtes dans une pièce éclairée. Vous éteignez la lumière. L'énergie de l'ampoule est interrompue. Elle n'existe plus. Vous actionnez l'interrupteur et l'énergie réapparaît. Elle existe seulement dans le moment présent. Elle n'existe plus dans le passé et ni dans le futur. Ceci est très important à comprendre.

En plus, la physique quantique nous enseigne qu'il n'y a pas de certitude, seulement des probabilités. Une pensée réaliste pourrait se traduire ainsi : *À ce moment-ci, je fais de bons choix pour mincir et pour ma santé.* Vous êtes en train de réussir. **Maigrir c'est faire des choix quotidiens pour vivre au maximum dans l'instant présent.**

10

STRESS ET SURVIE

Les chapitres suivants abordent le facteur environnemental le plus important et aussi le plus négligé, responsable en bonne partie de l'épidémie d'obésité.

HOMÉOSTASIE

Le stress est la pierre angulaire qui explique à la fois la survie de l'espèce humaine, la santé, la maladie et même l'obésité. Eh oui !

Pour bien comprendre, voyons comment le corps humain est composé.

Savez-vous combien vous avez d'os ? Vous en avez 206. Combien de muscles ? Vous êtes doté de 640 muscles.

Vous sécrétez plus de 50 hormones différentes. Vous avez 100 000 km de vaisseaux sanguins, plus de 10 milliards de neurones, et plus de 100 000 milliards de cellules.

Et tout ça doit coexister et coopérer ensemble afin que vous et moi, puissions vivre en bonne santé.

Cet équilibre, c'est l'homéostasie.

Pour assurer cet équilibre, le corps humain dispose de mécanismes fort complexes et probablement pas encore tous connus. Ils sont pour la plupart sous le contrôle du système nerveux et le cerveau en est la pièce maîtresse.

Nous sommes tous familiers avec les fonctions conscientes de notre système nerveux. Exemple : vous voulez apprendre à mieux gérer votre poids, vous vous procurez ce livre et vous le lisez à cet instant même.

Pendant ce temps-là, votre œil s'est adapté à la lumière où vous vous situez, votre ouïe s'est ajustée au son environnant, vous respirez à un rythme approximatif de 12 respirations par minute et votre cœur bat autour de 80 battements par minute.

Ces fonctions automatiques de régulation qui assurent votre survie sont sous le contrôle de votre système nerveux **autonome,** et aussi de votre système endocrinien (vos glandes), dont les hormones produites sont aussi sous le contrôle de votre système nerveux **autonome**.

Le système nerveux **autonome,** comme son nom l'indique, est en majeure partie hors du contrôle de la volonté.

Vous êtes en train de lire ce chapitre et soudainement vous entendez ce qui vous semble être un coup de feu venant de l'intérieur de la maison.

Votre cœur se met à battre très rapidement, votre tension artérielle s'élève, votre respiration s'accélère, votre bouche s'assèche, vous tremblez de partout.

C'est votre système nerveux **autonome** (SNA) qui réagit **instantanément** à une alerte afin de faire face à la menace.

Il intervient à tous les niveaux et organes du corps humain : les yeux, les glandes salivaires, le cœur et les vaisseaux sanguins, les reins, les glandes surrénales, l'estomac, le système digestif, le système immunitaire et même les gonades sexuelles.

Notre SNA est composé de deux parties : le système sympathique et le système parasympathique.

Le système sympathique est composé de nerfs qui viennent du cerveau et de la moelle épinière. Il **stimule** les différents organes alors que le système parasympathique, aussi issu du cerveau, joue un **rôle inverse : il calme, il freine** ces organes.

Ainsi, selon les besoins du corps humain pour rester en homéostasie, le cerveau activera **automatiquement** l'un ou l'autre de ces mécanismes.

L'autre système est le système endocrinien et sa production d'hormones. Nous savons aujourd'hui que ce système est aussi sous le contrôle du cerveau qui envoie des messages aux différentes glandes comme le pancréas, la thyroïde, les surrénales, les ovaires ou les testicules, et les incite à sécréter des hormones selon les besoins identifiés.

Pour chaque hormone qui a une action dans un sens, une hormone existe pour agir en sens inverse. Par exemple, quand le sucre est trop haut dans le sang, l'insuline va être sécrétée afin de diminuer sa quantité dans le sang. Lorsqu'il est trop bas, le glucagon va être sécrété pour l'augmenter.

Tout est en équilibre.

Tout est relié et j'aime dire interrelié afin d'assurer l'homéostasie.

Si un de vos organes fonctionne moins bien, un autre va essayer de compenser, et ainsi de suite. C'est l'**effet domino** qui a pour but d'assurer votre survie le plus longtemps possible

VOTRE SYSTÈME D'ALARME

Vous avez un système d'alarme. Eh oui, et c'est tant mieux.

Un des premiers à découvrir que le corps humain avait un système d'alarme est le Dr Hans Selye. Et ça ne fait pas très longtemps. Pour tout vous dire, j'ai eu le docteur Selye comme professeur en médecine à l'Université de Montréal en 1965.

En fait, c'est en 1936 qu'il publia cette découverte sous le titre de : *syndrome d'adaptation générale*. Il avait découvert que le corps a une réponse caractéristique, mais non spécifique lorsqu'il subit des conditions adverses.

Il avait soumis des rats à différents agents stressants, comme le froid, la chaleur, ou des injections de substances toxiques, et chaque fois, il notait les **mêmes** réactions chez **tous** les rats : une augmentation des glandes surrénales (ce sont de petites glandes situées au-dessus des reins), une diminution du thymus (une petite glande située dans le cou qui régule notre système immunitaire) et des ulcères à l'estomac.

C'est un peu plus tard qu'il emprunta le mot « stress » aux ingénieurs, pour décrire ce système d'alarme qu'est notre réponse au stress.

Les années qui suivirent en ce début du 20ᵉ siècle furent très excitantes. Plusieurs chercheurs, dont le Dʳ Selye, identifièrent les deux hormones principales responsables de la biologie du stress : l'adrénaline provenant de la médullosurrénale (la partie interne) de la glande surrénale et le cortisol provenant du cortex (la partie externe) de la glande surrénale.

Mais pourquoi cette réponse de stress ?

Pour rester en vie !

Votre corps est soumis à **chaque instant** à des événements, à des substances potentiellement toxiques, ou à des agressions susceptibles de mettre votre vie en péril.

Lorsque votre cerveau détecte une **menace**, il déclenche une série de réactions dans votre corps afin de vous permettre de faire face à cet agresseur. Le but de ce mécanisme **instinctif** de survie est de **produire suffisamment d'énergie pour soit combattre l'ennemi ou pour le fuir.**

Tout le règne animal a survécu à travers les siècles grâce à cette capacité de répondre aux agresseurs.

Pensez aux animaux dans la nature qui sont toujours en mode survie face à leurs prédateurs.

C'est seulement à partir des années 60 que les chercheurs ont réussi à comprendre le rôle des hormones dans la réaction de stress.

Le cerveau perçoit une **menace** et envoie instantanément un message à l'hypothalamus, petite région à l'intérieur du cerveau, qui à son tour produit une hormone qui va influencer une autre partie du cerveau, la glande pituitaire, qui à son tour va produire une autre hormone qui va voyager dans le sang jusqu'aux glandes surrénales, qui vont finalement sécréter les deux hormones de stress principales : l'adrénaline et le cortisol.

Ces deux hormones vont permettre au corps de mobiliser **l'énergie** nécessaire pour sa survie : soit se battre ou fuir. **L'énergie est le mot clé.**

Pour réussir à mettre en place très rapidement ces mécanismes de survie, votre corps a besoin d'**énergie** et une énergie **rapidement accessible**, c'est le glucose (ou autrement dit : le **sucre**). Aussitôt votre taux de sucre dans le sang augmente.

Instantanément, votre corps mobilisera à partir du foie et des muscles, **ses réserves de sucre** que nous appelons le glycogène. Le cortisol activera au niveau du foie un processus de fabrication de sucre supplémentaire par la gluconéogenèse. À son tour, le pancréas sécrétera de l'insuline pour métaboliser ce sucre.

Puis dans les minutes qui suivent, vos cellules graisseuses seront mobilisées pour fournir un **surplus d'énergie**.
Alors, vos gras dans le sang augmenteront sous forme de triglycérides.

En passant au cerveau, vos hormones du stress, dont le
cortisol, vont augmenter votre vigilance et votre concentration face à l'agresseur qui menace votre survie.

En même temps, ils laisseront une **marque indélébile**
dans votre mémoire (UN BOUTON D'ALARME, certains
l'appelleraient un bouton panique) de façon à augmenter votre
vigilance lors de prochaines situations similaires. **C'est gravé**
dans votre mémoire afin d'augmenter vos **chances de survie**
lors d'une **prochain**e menace d'agression.

RÉVOLUTION EN MÉDECINE

Jusqu'en 1970, les recherches sur le stress avaient été
faites sur des animaux qu'on soumettait à des agents stressants physiques.

C'est alors que le docteur John Mason fit une découverte
qui révolutionna la médecine[3].

Il prit huit singes qu'il mit en cage. Il mesura leur niveau
de cortisol, l'hormone du stress.

Il décida d'en nourrir six et de ne pas donner à manger
aux deux autres singes.

---

3. Sonia Lupien, *Par amour du stress*, Montréal, Québec, Éditions au Carré,
    2010, 274 pages.

Chaque jour, le technicien apportait la nourriture aux mêmes six singes et en privait les deux autres qui devinrent particulièrement agressifs chaque fois qu'ils le voyaient nourrir les autres singes.

Après quelque temps, le docteur Mason mesura à nouveau le cortisol chez tous les singes et comme prévu il avait augmenté seulement chez les deux singes affamés.

Ceci semblait confirmer que l'état de famine était un agent stressant physique.

Il eut alors la brillante idée de modifier son protocole.

Il prit huit autres singes et les sépara de la façon suivante : six dans une cage et deux dans une autre cage installée dans **une autre** salle, hors de la vue des singes de la première cage.

Il répéta l'expérience, nourrissant les six dans la première cage et privant de nourriture les deux autres qui ne pouvaient cependant pas voir le technicien alimenter les autres singes.

À la fin de l'expérience, il mesura le cortisol.

Surprise, les deux singes affamés n'**avaient pas d'augmentation de cortisol**.

En fait, sa première conclusion était fausse, la privation de nourriture n'a pas été un agent stressant physique, mais bien un agent stressant **psychologique**.

Ce n'est pas être privés de nourriture, mais c'est **se voir privés** de nourriture par rapport aux autres singes, qui déclenchait l'agressivité des deux singes et leur réaction de stress.

Cette expérience marqua un tournant dans la recherche sur le stress, incitant les chercheurs à faire le lien entre la physiologie et la psychologie.

Si cela vous intéresse, je vous recommande la lecture du livre du D^{re} Sonia Lupien, *Par amour du stress*. Elle rapporte en détail les expériences du Dr Mason qui conclut qu'une situation va induire une réponse de stress si, et **seulement si**, l'individu voit dans cette situation une caractéristique qui puisse **être interprétée** comme étant adverse ou **menaçante** pour lui.

Peu importe la situation, même si elle n'est pas réellement et physiquement menaçante en soi, **notre interprétation** de celle-ci peut la rendre menaçante.

Votre cerveau est un organe qui veille à votre survie en détectant tout ce qui pourrait vous **menacer** autant dans votre intégrité physique que psychologique.

Dans nos sociétés modernes, nous savons que les agents stressants menaçants sont plus souvent **psychologiques** que physiques.

Selon John Mason, quatre types de situation peuvent engendrer une réaction de stress :

1) la **perception** d'un manque de contrôle face à une situation ;

2) un événement i**mprévisible** ;

3) une situation **nouvelle** ;

4) une menace à l'**ego.**

Voyons dans les chapitres à venir comment le stress est un déterminant majeur dans la problématique du surpoids.

11
CHERCHER LE MAMMOUTH ?

OÙ EST LE MAMMOUTH ?

Le *Mammouth Magazine* est le titre que le Centre d'études sur le stress humain a choisi pour son journal scientifique[1].

J'aime cette image du mammouth.

Nous imaginons tous nos lointains ancêtres qui avaient à affronter ce mammifère préhistorique de trois mètres de hauteur à l'allure terrifiante avec ses immenses défenses.

Leur réaction physiologique de stress devant une telle **menace** leur a permis de se battre devant l'ennemi ou de le fuir.

---

1. www. stresshumain.ca/mammouth-magazine.html

Et cela a très bien fonctionné puisque nous sommes ici aujourd'hui.

Et il n'y a plus de mammouths sur terre.

En fait, jusqu'à tout récemment dans l'histoire de l'humanité, les agents stresseurs étaient plutôt d'ordre physique : résister au froid ou aux grandes chaleurs, chasser pour se nourrir, se battre, se protéger ou fuir contre ses ennemis.

Depuis quelques siècles et surtout depuis quelques décennies, les agents stresseurs ont changé. Les mammouths sont devenus surtout psychologiques : bouchon de circulation en route vers le travail, patron exigeant, surcharge de travail, objectifs inaccessibles, conflit avec le conjoint, les enfants, les amis ou les parents, dettes accumulées…

À travers les millénaires, la réaction de stress et son système d'alarme ont servi à protéger l'intégrité physique de l'être humain face à une menace et elle l'a bien fait.

Aujourd'hui, on se rend compte que cette réaction de stress n'est pas du tout adaptée aux menaces psychologiques parce qu'elle réagit de la même façon qu'elle le fait pour protéger notre intégrité physique.

Elle ne fait pas de distinction entre les mammouths physiques et les mammouths psychologiques.

Lorsque le cerveau perçoit une menace à notre intégrité physique ou à notre **intégrité psychologique**, elle réagit de la **même** manière, en sécrétant les **mêmes** hormones de stress et en provoquant les **mêmes** réactions physiologiques qui mobilisent un surplus d'énergie.

Or, les agents stresseurs physiques sont habituellement de courte durée et nécessitent une dépense d'énergie pour se battre ou fuir. Attaqué par un mammouth, notre ancêtre n'avait pas beaucoup de temps pour décider de se battre ou tout simplement de fuir rapidement.

Il a dû souvent prendre ses jambes à son cou.

De nos jours, les agents stresseurs psychologiques sont habituellement de **longue durée** et ne **nécessitent pas de dépense d'énergie.**

Frustré par son patron ou par une surcharge de travail, l'homme moderne a beaucoup de temps pour ruminer son problème, voire des mois, des années.

En plus, il a peu d'occasions d'utiliser son surplus d'énergie.

Il ne se bat pas (ou très rarement) et il ne fuit pas (il n'en a pas souvent les moyens. C'est difficile au milieu d'un bouchon de circulation).

Son surplus d'énergie s'accumule à l'intérieur de lui.

Ce qui me fait dire que les mammouths psychologiques sont beaucoup plus nocifs à l'homme que les vrais mammouths l'ont été.

Est-ce que les mammouths psychologiques réussiront là où les vrais mammouths ont échoué? C'est bien possible.

Réussiront-ils à exterminer l'être humain tel que nous le connaissons?

C'est bien parti pour ça.

Alors que les changements d'adaptation du corps humain à son environnement nécessitent plusieurs siècles, sinon des millénaires, les mammouths psychologiques se sont multipliés à une vitesse grand V dans les dernières décennies.

Je crois sincèrement qu'il est temps d'agir, car notre bouton d'alarme peut devenir un bouton panique.

LE STRESS CHRONIQUE

Comment le corps réagit-il au stress chronique?

Au début, notre réaction d'adaptation grâce à notre bouton d'alarme et à nos hormones du stress (adrénaline et surtout cortisol) nous maintient en vie et en homéostasie, comme nous l'avons vu plutôt.

Mais si le stress se prolonge, que le cortisol continue à être sécrété en abondance, un système va se dérégler et tomber en panne. Alors un autre système va essayer de compenser pendant un certain temps jusqu'au moment où il tombera à son tour au champ de bataille et ainsi de suite jusqu'à l'effondrement de la personne.

Ce processus ou effet domino peut s'étaler sur plusieurs mois, années, voire décennies. Nous pouvons le mesurer dans le sang et en suivre l'évolution sur des années.

Les marqueurs sanguins les plus fréquents sont le taux de cortisol, le taux de sucre (c'est-à-dire la glycémie), les taux de cholestérol et de triglycérides, les enzymes du foie, le taux d'acide urique, la vitesse de sédimentation et la mesure de l'inflammation dans le sang.

Demandez à votre médecin une copie de vos résultats de laboratoire annuels et mesurez la variation des résultats, même si vous êtes dans l'écart normal.

Peut-être que la première année, vous serez dans le premier quart de l'écart de normalité, puis l'année suivante dans le deuxième quart puis dans le troisième ou le quatrième, et un jour votre résultat sera considéré par votre médecin comme anormal.

D'autres marqueurs sont : **la prise de poids** (surpoids et obésité), le tour de taille augmenté, l'élévation de la tension artérielle et le vieillissement accéléré de la circulation avec une progression galopante du durcissement des artères (l'artériosclérose) à travers tout le corps.

Plus aucun système n'arrive à accomplir sa tâche avec efficacité. C'est le vieillissement prématuré, la maladie débilitante et éventuellement la mort.

LES EFFETS DU STRESS CHRONIQUE

La cortisone, ça vous dit quelque chose ?

C'est en fait du cortisol (l'hormone naturelle du stress) qui au lieu d'être fabriqué par vos surrénales, est fabriqué en laboratoire.

Vous avez peut-être déjà rencontré une personne qui a pris de la cortisone sur une longue période pour traiter une maladie chronique importante.

Voici la liste des effets secondaires de la cortisone, tels que décrits dans le Compendium officiel des produits et spécialités pharmaceutiques, que tout médecin a en sa possession:

- **les effets sur le système locomoteur**:

  1) Des problèmes musculaires importants allant de la douleur jusqu'à l'atrophie des muscles;

  2) de l'ostéoporose et fractures spontanées de la colonne vertébrale et des os longs.

- **les effets sur le système cardio-vasculaire**:

  1) des thromboembolies;

  2) l'accélération du durcissement des artères;

  3) l'aggravation de la tension artérielle;

  4) la modification de l'activité électrique du cœur;

  5) un infarctus;

  6) de l'arythmie;

  7) une augmentation du cholestérol.

- **les effets sur le système digestif**:

  1) de l'irritation gastrique;

  2) des ulcères avec possibilité de perforation de l'intestin ou d'hémorragie;

  3) tout le système digestif peut être atteint.

- **les effets sur le système immunitaire :**

– surtout aggravation des infections.

- **les effets sur le système génital :**

– surtout une diminution de la libido et de la fertilité.

- **les effets sur le système endocrinien :**

   1) le diabète ;

   2) l'obésité.

- **les effets sur les yeux :**

   1) des cataractes ;

   2) le glaucome.

- **les effets sur le système neurologique :**

   1) de la névrite (inflammation des nerfs) ;

   2) de la paresthésie (des engourdissements dans les membres) ;

   3) des convulsions.

- **les effets sur le métabolisme :**

   1) de l'enflure ;

   2) un gain de poids ;

   3) le catabolisme des protéines (dont la perte de masse musculaire).

- **les effets sur le système psychiatrique :**

1) importants changements dans l'humeur ;

2) de l'agressivité ;

3) de la dépression ; et

4) des troubles psychotiques.

WOW ! La cortisone attaque tous nos systèmes.

Ce que vous devez savoir et comprendre : lorsque vous souffrez de stress chronique, votre taux élevé de cortisol dans le sang s'attaque à tous vos systèmes comme la cortisone le fait.

Souffrez-vous d'une ou plusieurs de ces maladies ?

– de surpoids ou d'obésité ;

– d'hypertension artérielle ;

– de cholestérol ou de triglycérides élevés dans le sang ;

– de diabète de type 2 ;

– de foie gras ;

– d'acide urique élevé dans le sang ;

– de durcissement prématuré des artères ;

– de maladie cardiaque ou cérébrale vasculaire ;

– du syndrome métabolique ;

– de troubles digestifs comme l'irritation d'estomac, des ulcères ;

- ou des troubles de l'intestin comme la maladie de Crohn ou la colite ulcéreuse ;

- de maladies dégénératives arthritiques ;

- de fibromyalgie ;

- de fatigue chronique ;

- d'un système immunitaire faible et des infections à répétition ;

- de burn-out ;

- de trouble d'anxiété généralisée ;

- de dépression ;

- de problèmes cutanés chroniques ;

- ou même de cancer.

Si vous souffrez d'une ou plusieurs de ces conditions médicales, vous souffrez probablement de stress chronique.

Ce sont les hormones du stress, dont le cortisol, qui lorsqu'elles sont élevées trop longtemps dans le sang, dérèglent tous vos systèmes.

Le cortisol sur une courte période vous sauve la vie, vous permet de fuir ou de vous battre pour vous défendre, mais sur une **période prolongée,** elle vous rend malade et vous tue prématurément.

Alors que l'espérance de vie a augmenté dans les dernières décennies, l'espérance de vie **en bonne santé** ne dépasse pas 70 ans, soit 10 ans de moins. Ça veut aussi dire que vous êtes exposé à vivre 10 ans malade, dans des conditions difficiles.

Et pire encore, si vous avez un surplus de poids ou souffrez d'obésité, votre **espérance de vie en bonne santé** se situe
entre 48 et 64 ans.

12

MARQUEURS DE SANTÉ

STRESS CHRONIQUE ET CHOLESTÉROL

Quelle est l'utilité du cholestérol dans notre système ?

C'est un composant majeur et **indispensable** de **toutes** nos membranes cellulaires.

Je vous ai dit que nous avions 10 milliards de neurones et 100 000 milliards de cellules.

Dans nos cellules du cerveau, le cholestérol permet la synthèse des neurotransmetteurs et la propagation de l'influx nerveux.

Ceci veut dire un meilleur fonctionnement du cerveau.

Le métabolisme du cholestérol est également précurseur de nombreuses hormones essentielles dont :

- Le cortisol (ça vous rappelle quelque chose ?)

- Ceci veut dire que plus vous êtes stressé, plus votre cholestérol sanguin va être élevé pour arriver à produire suffisamment de cortisol et vous aider à survivre. Votre bouton d'alarme.

- D'autres hormones essentielles sont aussi formées à partir du cholestérol dont l'aldostérone (qui joue un rôle dans votre tension artérielle) et les hormones sexuelles : progestérone, œstrogènes, et testostérone.

- Comment est produit le cholestérol ?

- Par le foie qui régule son taux dans le sang en fonction des besoins du corps pour assurer son homéostasie. La nourriture joue un rôle minime. Si on ne mange pas de cholestérol, le foie en fabrique, si on en mange trop, le foie arrête d'en produire.

Quelles sont les conséquences lorsqu'on abaisse le cholestérol par les médicaments appelés statines ?

Les principaux effets secondaires sont principalement d'ordre musculaire, hépatique, rénal et mental.

L'atteinte des muscles est fréquente et se traduit par des douleurs musculaires changeantes, des crampes et même de la faiblesse musculaire.

Dans les cas sévères, on parle de rhabdomyolyse avec une destruction massive des muscles pouvant conduire à l'insuffisance rénale.

Les enzymes du foie peuvent augmenter dans le sang, témoignant d'une souffrance hépatique qui pourrait aller jusqu'à une cirrhose du foie.

Nous savons aujourd'hui qu'il y a un risque accru de plus de 7 % de diabète pour ceux qui prennent ces médicaments.

Il existe aussi une association significative entre l'hospitalisation pour insuffisance rénale aiguë et le traitement intensif par les statines.

Dans la littérature médicale des cas de trouble de la mémoire sont rapportés ainsi que de dépression.

Tous ces effets secondaires possibles sont augmentés en fréquence avec la prise d'autres médicaments.

J'espère qu'à ce point-ci, de prendre ces médicaments ne vous stresse pas davantage ?

Mais il vous reste une question à vous poser : *Est-ce que le risque en vaut la chandelle ?*

D'après des spécialistes, **pas du tout** sauf pour les personnes qui sont atteintes de l'hypercholestérolémie familiale, une maladie héréditaire plutôt rare, heureusement[1].

Donc, un taux élevé de cholestérol dans le sang est un marqueur, signifiant que le corps est soumis à un stress élevé et qu'il essaie de rester en bonne santé.

Réguler naturellement le cholestérol élevé dans le sang veut dire : 1) mieux et bien manger ; 2) faire de l'exercice pour éliminer l'énergie accumulée ; et 3) surtout éliminer les mammouths chroniques.

---

1. Michel de Lorgeril, *Cholestérol, mensonges et propagande*, Vergèze, Éditions T. Souccar, 2013, 383 pages.

STRESS CHRONIQUE ET TENSION ARTÉRIELLE

Maintenant, qu'en est-il de la tension artérielle?

La pression (ou la tension artérielle, c'est la même chose) correspond à la pression du sang dans nos artères qui s'échelonnent sur plus de 50 000 km dans notre corps.

Les mécanismes de régulation sont complexes et certains nous sont encore inconnus.

Nous savons que le système nerveux autonome y joue un rôle important ainsi que nos hormones telles que l'adrénaline, le cortisol et l'aldostérone.

En gros, l'effort physique et le stress font augmenter la pression artérielle alors que le repos la fait diminuer. C'est physiologique.

Plus de 95 % des cas d'hypertension artérielle sont dits essentiels, c'est-à-dire qu'on n'en connaît pas les causes médicales.

Malgré tout, votre médecin vous a probablement prescrit un médicament pour la faire baisser comme si vous aviez mal à la pression.

Son prétexte: réduire votre risque de maladie cardio-vasculaire.

Or selon le Dr Hadler, éminent épidémiologiste américain, et auteur du livre: *Malades d'inquiétude?* traduit en français par un épidémiologiste québécois de renom, Fernand Turcotte, je le cite:

En vérité, la majorité des études ne montre aucune réduction de la mortalité découlant du traitement.

Et il ajoute : Le changement de comportement est aussi efficace pour réduire la tension artérielle que les combinaisons pharmaceutiques[2].

Donc, le plus souvent, l'hypertension artérielle est **un marqueur** signifiant que le corps est soumis à un stress élevé et qu'il essaie de survivre à une menace.

Réguler naturellement la tension artérielle élevée veut dire : 1) mieux et bien manger ; 2) faire de l'exercice pour éliminer l'énergie accumulée ; et 3) surtout évincer les mammouths chroniques.

Vous comprenez maintenant que vous n'êtes pas des tiroirs : le tiroir diabète, le tiroir hypercholestérolémie ou le tiroir hypertension artérielle…

Il ne vous suffit pas de changer ou traiter un tiroir. Il faut voir l'ensemble. Tout est relié, vos habitudes, vos émotions, votre stress…

Seule une approche globale qui tient compte de tout l'individu va vraiment vous être bénéfique.

La prise de médicaments risque de vous donner un faux sentiment de confiance et vous déresponsabiliser. Un patient me disait : « Je n'ai pas à changer mes habitudes, le médicament fait la job. »

---

2. Fernand Turcotte, Nortin Hadler, *Malades d'inquiétude ? Diagnostic : la surmédicalisation*, Québec (Québec), Les Presses de l'Université Laval, 2017, 489 pages.

C'est un choix. Mais il y a toujours un prix à payer.

STRESS CHRONIQUE, DIABÈTE ET OBÉSITÉ

L'Organisation mondiale de la Santé (OMS) clame depuis deux décennies que l'obésité est au stade d'épidémie. Un milliard d'individus souffriraient de surpoids ou d'obésité dans le monde, ce qui dépasse pour la première fois ceux qui souffrent de malnutrition[3].

À cause du surpoids de nos jeunes, les experts prédisent que pour la première fois de l'histoire, l'espérance de vie de nos jeunes sera plus courte que la nôtre.

Pourquoi y a-t-il eu une augmentation aussi rapide du tour de taille depuis les trois dernières décennies ?

Comme il n'y a pas de réponse simple, voyons les principaux facteurs impliqués.

Certains diront que la sédentarité en est une cause.

D'autres accuseront l'industrie agroalimentaire, les bouleversements dans les modes de culture et la prédominance de sucre dans l'alimentation.

D'autres insisteront sur la société de consommation, le marketing et la publicité. Et tous ces gens ont raison.

Je crois que c'est l'ensemble de ces facteurs dans une société où la **performance** est devenue la devise.

---

3. World Health Organisation, « Obesity : preventing and managing the global epidemic », Geneva, 2000.

Comme médecin, j'ai assisté au cours de ma carrière, à l'apparition et à l'évolution de cette société que j'appellerais aujourd'hui : une société stressée, une société en burn-out, une société axée sur la performance à tout prix.

Souffrez-vous du syndrome métabolique ? En fait, 80 % des obèses en souffrent et 40 % des gens avec un poids santé en souffrent aussi.

Le syndrome métabolique est un ensemble de symptômes ou de maladies qui caractérisent un désordre causé par un excès d'insuline dans le sang.

Il se manifeste cliniquement par un tour de taille supérieure à 102 cm (40 po) chez l'homme et 88 cm (35 po) chez la femme, par une tendance au diabète de type 2, par une tension artérielle élevée, par un cholestérol sanguin élevé avec un HDL (bon cholestérol) bas, et par une augmentation des triglycérides dans le sang.

Si vous avez trois ou plus de ces cinq critères, vous développerez une artériosclérose galopante, selon les dires d'un éminent chercheur américain. C'est-à-dire que vos artères se durciront très rapidement[4]. Or, les recherches récentes sur le stress chronique apportent un éclairage nouveau sur cette condition.

En situation de stress prolongé, le cortisol sécrété en forte quantité va provoquer une augmentation du sucre et conséquemment de l'insuline dans le sang pour rendre dispo-

---

4. Gerald Mark Reaven, « Metabolic syndrome : pathophysiology and implications for management of cardiovascular disease. Circulation 106 : 286-288, 2002.

nible l'énergie nécessaire afin de faire face à la menace perçue et de survivre.

L'insuline à son tour va agir sur le plan des cellules graisseuses, les adipocytes, pour emmagasiner de l'énergie en cas de besoin futur. Il est connu que les taux élevés d'insuline favorisent la **prise de poids** et tout particulièrement au tour de la taille. En plus, ils finissent par créer la **résistance à l'insuline,** la stéatose hépatique (foie gras), le diabète de type 2, l'augmentation des graisses dans le sang, dont les triglycérides et le cholestérol, et l'hypertension artérielle.

Donc, le surpoids, l'obésité, le syndrome métabolique et le diabète sont des **marqueurs** signifiant que le corps est soumis, en plus d'une alimentation malsaine et trop sucrée, à un stress élevé et prolongé, et qu'il essaie de **survivre** à une menace.

Et ça m'amène à comprendre pourquoi plusieurs personnes en surpoids ou obèses paniquent et même consomment davantage de calories en mangeant plus **à la seule pensée** de devoir faire un régime.

Ils ont l'impression inconsciente de perdre le mécanisme qui assure leur survie.

Ils ont la perception **irréaliste** qu'ils en mourront.

D'où leurs excuses : *on ne vit qu'une seule fois, il vaut mieux en profiter.*

En fait, ils se disent que tant qu'à mourir d'une façon ou d'une autre, aussi bien mourir en faisant quelque chose de plaisant.

Or la réalité est tout à fait différente : prendre du poids conduit à mourir à petit feu, maigrir en santé conduit à mieux vivre.

Réguler naturellement le surpoids, l'obésité, le syndrome métabolique et le diabète de type 2 veut dire : 1) certes mieux et bien manger ; 2) faire de l'exercice pour éliminer l'énergie accumulée ; et 3) surtout éliminer les mammouths chroniques.

13

STRESS CHRONIQUE
ET L'INDUSTRIE

LE SUCRE ET L'INDUSTRIE AGROALIMENTAIRE

Nous avons vu que nous avons un merveilleux système d'alarme basé sur la production d'énergie afin de nous aider à faire face, soit en combattant ou en fuyant, à ce que notre cerveau perçoit comme une menace.

Qui dit production d'énergie, dit aussi besoin d'en stocker pour être prêt à toute éventualité.

L'énergie la plus rapidement disponible est... le sucre.

Or, on a vu au chapitre 3 que l'industrie agroalimentaire a depuis plus de 50 ans, réussit à produire des sucres raffinés dépourvus de fibres et de nutriments, et à nous en faire consommer plus de 50 kg/personne/année.

Pire encore, au début des années 80, on réussissait à produire en laboratoire de façon synthétique un nouveau sucre, le glucose-fructose de maïs.

Ce sucre a remplacé le sucre blanc dans presque tous les produits et particulièrement dans les boissons gazeuses. Et ce pour une bonne raison : il est moins cher à produire que le sucre blanc.

Pour plusieurs chercheurs, dont le professeur Robert Lustig de Californie, il est clair que ce sucre n'offre pas seulement des calories vides, mais que le fructose est définitivement **toxique pour le foie** lorsqu'il est pris en grande quantité et sur une base prolongée[1].

Des études sur les rats et sur les humains démontrent un lien entre ces sucres et le syndrome métabolique, le diabète de type 2 et l'hypertension artérielle.

Mon expérience et nos recherches vont dans le même sens, à savoir que le **sucre sous toutes ses formes**, consommé en trop grande quantité et d'une façon prolongée, **associé à un stress chronique**, est probablement le plus grand responsable de l'**obésité**, du syndrome métabolique, du diabète de type 2, de multiples maladies débilitantes et même de cancer.

ANXIÉTÉ GÉNÉRALISÉE, DÉPRESSION MAJEURE, BURN-OUT ET INDUSTRIE PHARMACEUTIQUE

Quand j'ai commencé à pratiquer dans les années 70, ces mots n'existaient pas. Il y avait des gens anxieux qui respiraient trop vite. Ils faisaient de l'hyperventilation et on leur

---

1. Robert Lustig, Syndrome métabolique et toxicité du sucre, You Tube.

recommandait de respirer lentement et profondément dans un sac de papier.

Il y en avait d'autres qui étaient dépressifs légers ou sévères, névrotiques ou psychotiques. Ils étaient suivis en psychologie et prenaient au besoin des antidépresseurs ou des antipsychotiques.

Le burn-out n'existait pas.

Depuis, ces maladies mentales ont explosé en nombre et la prescription de psychotropes a triplé pour atteindre des sommets incroyables même chez nos adolescents[2].

Chercher l'erreur ou chercher les erreurs.

Une qui m'apparaît évidente: le stress chronique associé à une société en constant changement.

Un philosophe allemand a ainsi calculé qu'un homme de 35 ans a déjà vécu trois fois la vie de son grand-père. Il a en moyenne changé trois fois de conjoint, de poste de travail, de domicile…

À l'accélération du rythme de vie s'ajoute l'accélération du changement social. « Tout, tout de suite » est la devise répandue.

C'est beau tout ça, mais plusieurs se posent la question:

Est-ce que je vais être capable de m'adapter à tous ces changements?

---

2. Jean-Claude St-Onge, *Tous fous? L'influence de l'industrie pharmaceutique sur la psychiatrie*, Montréal, Québec, Éditions Écosociété, 2013, 275 pages.

La menace d'être dépassé plane perpétuellement, quotidiennement, au-dessus de nos têtes.

Or, les chercheurs en neurosciences ont fait au cours des dernières années des découvertes impressionnantes :

Voici ce que le docteur Sapolsky, autorité américaine et internationale dans le domaine du stress dit :

« *Il est maintenant clair que l'hippocampe, une région cruciale dans notre cerveau pour les émotions, est très sensible aux hormones de stress et s'atrophie à la suite d'un stress post-traumatique et d'une dépression majeure*[3]. »

Ceci veut dire qu'à long terme le cortisol rapetisse certaines parties de notre cerveau et en affecte le bon fonctionnement.

En menaçant notre intégrité physique et psychologique, le stress chronique engendre un cercle vicieux autodestructeur : anxiété généralisée, dépression majeure et burn-out.

Mais, il y a une différence entre ces trois entités.

L'anxiété repose sur deux choses, la perception d'être menacé et l'incertitude d'être capable d'y faire face.

La dépression repose sur la perception que la personne est nulle, qu'elle ne vaut pas grand-chose.

Le burn-out peut contenir des symptômes identiques aux deux autres, mais il est essentiellement un épuisement

---

3. R.M. Sapolsky, « Why Zebras Don't Get Ulcers : An Updated Guide To Stress, Stress Related Diseases, and Coping ». H. Holt& co, 2004.

relié le plus souvent au surmenage et au travail. L'élastique a trop été étiré et est éventé.

D'ailleurs, les sécrétions de cortisol sont différentes dans les trois entités[4].

En cherchant une autre cause à l'augmentation des maladies mentales, on doit aussi identifier les sociétés pharmaceutiques qui ont contribué à favoriser le diagnostic de malaises psychologiques en maladies mentales, de façon à favoriser la prescription de **médicaments**.

Certains chercheurs disent: «*L'épidémie de maladies mentales est très largement fabriquée sous l'influence démesurée de l'industrie pharmaceutique sur la psychiatrie.*»

Au cours des 26 dernières années, la consommation de psychotropes a augmenté de 4 800 % aux États-Unis, et ce, malgré le peu de résultats et surtout avec son lot d'effets secondaires, dont le **gain de poids,** le diabète, les pensées suicidaires et la dépendance physique et psychologique à plusieurs de ces substances[5].

En fait, la plupart des antidépresseurs de nouvelle génération, des antipsychotiques, et des anticonvulsivants souvent prescrits pour des problèmes d'ordre psychiatrique ont comme effet secondaire de provoquer un gain de poids important et rapide en augmentant les fringales et en modifiant le métabolisme.

---

4. Sonia Lupien, *Par amour du stress*, Montréal, Québec, Éditions au Carré, 2010, 274 pages.

5. Jean-Claude St-Onge, *Tous fous? L'influence de l'industrie pharmaceutique sur la psychiatrie*, Montréal, Québec, Éditions Écosociété, 2013, 275 pages.

Encore une fois, la médication en voulant améliorer un système en dérègle plusieurs autres.

Une fois pour toutes, il faut aborder le stress chronique dans une vision d'ensemble, en y recherchant les véritables causes. On part à la chasse aux mammouths.

14

LA CHASSE AUX MAMMOUTHS

VOTRE PREMIER MAMMOUTH

Nous avons vu que notre cerveau contient un système d'alarme destiné à identifier les menaces à notre survie, pour ensuite mettre en marche nos mécanismes de survie qui ont comme facteur commun de produire de l'énergie pour se défendre ou pour fuir. Le mot clé est ÉNERGIE.

La physique quantique et les données récentes de la recherche nous confirment qu'il n'y a pas de matière, que tout est énergie.

Alors, imaginons que l'être humain est un canal qui, enfant, reçoit son énergie en premier lieu de ses parents qui s'en occupent, qui l'aiment, qui le touchent, qui le nourrissent et qui assurent sa survie.

Il est important de s'arrêter particulièrement à ces mots:

- qui s'en occupent : les êtres humains et en particulier les bébés ressentent l'énergie émise par ceux qui leur portent attention ;

- qui l'aiment : l'amour est l'énergie de vie la plus puissante et est fortement ressentie par l'enfant ;

- qui le touchent : le toucher fait aussi passer beaucoup d'énergie fortement ressentie par le bébé. Lors de la dernière guerre mondiale, on a constaté que des bébés dans un orphelinat chez qui on donnait à boire et assurait leur survie sans les toucher ou presque, mouraient en grand nombre sans cause apparente.

Or, selon le comportement plus ou moins fonctionnel de ses parents, l'enfant peut avoir la perception inconsciente qu'ils ne lui fournissent pas l'énergie suffisante pour survivre. C'est comme si l'énergie vitale nécessaire devait passer dans un entonnoir où seulement quelques filets d'énergie arrivaient jusqu'à lui.

Les mots importants ici : perception inconsciente.

Ce n'est pas nécessairement la réalité. Les bébés à l'orphelinat avaient tout ce qu'il faut sur le plan physique pour survivre, mais leur perception inconsciente était à l'opposé, comme s'ils se disaient : *je ne reçois pas suffisamment d'énergie pour survivre, je vais en mourir.*

Alors automatiquement, **inconsciemment**, l'enfant ressentira sa première émotion, qui marquera le reste de sa vie, l'angoisse existentielle.

Et c'est ici que l'on comprend l'importance des relations humaines dans notre développement puisque dès le départ notre énergie vient des autres.

Cette perception de **manque d'énergie vitale** sera plus tard exprimée sous les formes suivantes : un **sentiment d'abandon**, une impression de **rejet** ou de **manque d'amour**.

C'est la pire souffrance psychologique qui existe, la **pire menace** que le cerveau essaiera de combattre par la production de cortisol et qui laissera une marque presque indélébile dans le cerveau, un bouton panique.

C'est le premier mammouth que tout être humain, à divers degrés selon son vécu, a à faire face dans sa vie.

Inconsciemment, pour survivre, le bébé puis l'enfant, essaiera différentes stratégies pour attirer vers lui l'énergie qu'il perçoit comme nécessaire à sa survie. C'est sa **lutte pour l'énergie vitale** qui commence.

Cette lutte restera présente au quotidien, jusqu'à sa mort[1].

Il est important ici de constater que les relations humaines sont des échanges d'énergie entre les individus et sont animées par cette lutte pour l'énergie vitale.

Deux **stratégies de survie** pourront être essayées : la victimisation ou la réaction d'autodéfense.

---

1. Maurice Larocque, *Motivation minceur*, Montréal, Québec, Éditions Québecor, 2012, pp. 61-67.

Dans la victimisation, l'enfant et plus tard l'adulte, cherche l'énergie en jouant le rôle de victime.

Par l'apitoiement, même par le châtiment qu'il recherche quelquefois, il attire l'attention sur lui. C'est de l'énergie.

Il essaie littéralement de sucer l'énergie du parent ou des autres autour de lui pour survivre.

Sa culpabilité est forte. Il dira et se dira : *C'est ma faute, je suis nul.*

Il est passif et a souvent des tendances dépressives.

Dans la réaction d'autodéfense, la colère prime. Elle est automatique, hors du contrôle du conscient. L'enfant et plus tard l'adulte réagiront en essayant d'écraser le parent ou les autres autour de lui pour s'approprier leur énergie afin de survivre.

Prenez note que ces deux stratégies ne sont pas fixes. Il y a souvent une prépondérance pour une ou l'autre stratégie, mais elles peuvent aussi alterner selon les circonstances et les gens rencontrés. Avec certaines personnes, je peux être plutôt passif et jouer le rôle de victime, avec d'autres, je peux être plutôt agressif, méfiant et colérique. La stratégie utilisée est utilisée inconsciemment, mais est basée sur les succès ou échecs obtenus dans le passé.

Il est aussi **important** de comprendre qu'enfant, la stratégie utilisée a permis de survivre. Mais aujourd'hui cette stratégie n'est peut-être pas adaptée à la situation et peut conduire aux addictions, à l'obésité, à la maladie et même la mort.

À ce moment-ci, il est excessivement important de comprendre que les relations humaines sont basées sur des échanges d'énergie pour nous aider à survivre.

LE MAMMOUTH QUI MENACE VOTRE EGO

J'ai été longtemps à me demander pourquoi les menaces à l'ego engendraient des réactions de stress si importantes.

Il est facile de comprendre que si je suis attaqué sur la rue par des voyous, mon système d'alarme va s'activer instantanément et produire de l'énergie pour me battre ou m'enfuir.

Mais comment expliquer que si un ami ou un conjoint met fin à notre relation, ou que si je perds mon emploi, ma réaction de stress risque d'être encore plus intense et prolongée que si je suis attaqué dans la rue?

Mes expériences personnelles et celles de mes patients m'ont fourni la réponse.

La perte d'un ami, d'un conjoint ou d'un emploi est interprétée inconsciemment comme un rejet, un abandon, un manque d'amour, c'est-à-dire **un manque d'énergie qui met ma vie en péril.**

L'amour est la force de vie, c'est l'énergie qui tisse le lien entre deux personnes.

Le cerveau ne fait pas de différence entre la menace physique et la menace psychologique.

Les menaces à l'ego engendrent les mêmes réactions de survie que les menaces réelles.

Si bien que j'ose affirmer :

« *Sans ego, il n'y a pas de vie. Mais avec un ego mal en point, il y a une vie mal en point.* »

Il y a plusieurs définitions à l'ego, certaines sont philosophiques, psychanalytiques ou spirituelles.

Quant à moi, je définis l'ego comme la représentation qu'un individu se fait de lui-même à partir de souvenirs et d'expériences vécues.

Ce qui veut dire que l'ego n'est pas la réalité puisqu'il est construit sur une **interprétation** qui est souvent fausse de la réalité, étant construit dès les premiers instants de vie, alors que nos fonctions cognitives ne sont pas développées et plus tard sur notre évaluation **subjective** de la réalité.

Ceci veut donc dire que l'ego se forme à partir des relations humaines, donc au départ avec nos parents et ensuite avec les autres. C'est un processus constant tout au long de notre vie. Notre ego se nourrit d'instant en instant en fonction de nos échanges d'énergie avec les autres.

Nous sommes donc tous reliés.

Si vous avez des enfants, vous avez sûrement été témoin de leurs comportements et de leur recherche constante de votre attention, de votre approbation et de votre amour.

Lorsque le deuxième enfant arrive dans la famille, la lutte pour l'énergie s'amorce.

Ma mère me racontait qu'à la naissance de mon frère, quatre ans plus jeune que moi, alors que j'étais propre, subitement elle a dû me remettre aux couches.

Je lui demandais tout le temps si elle m'aimait encore. Je me suis mis à rechercher constamment son attention dès qu'elle s'occupait de mon frère.

C'était ma lutte pour l'énergie de ma mère, menacé qu'elle la donne toute à mon frère.

Plus tard à l'école, j'étais en compétition avec les autres pour avoir les meilleures notes scolaires et dans les sports, pour avoir les meilleurs résultats possible.

C'était ma lutte pour avoir l'énergie des autres.

Si bien que lorsque je ne réussissais pas, c'était l'échec, mon échec et l'impression d'être une personne moins bien. Mon ego était touché, voire menacé.

Mais est-ce que ce mammouth était bien réel?

Est-ce que la présence d'un frère, d'un échec scolaire ou sportif mettait vraiment ma vie en danger?

Bien sûr que non!

Mais mon cerveau ne faisait pas de différence entre un réel mammouth et un mammouth virtuel menaçant mon ego.

La bonne nouvelle, c'est qu'on peut apprendre à identifier les vrais mammouths pour ainsi mieux gérer notre stress.

15

TROUVER MES MAMMOUTHS

L'INJUSTICE ET LE MANQUE DE RESPECT

Après plusieurs décennies de consultation avec mes patients en surpoids, je me suis rendu compte que deux situations revenaient constamment pour expliquer leur stress, leurs émotions et leur mal-être : l'injustice et le manque de respect à leur égard.

Exemple : «*C'est injuste d'avoir à toujours faire un régime*».

Et : «*On a fait des remarques sur mon poids, c'est un manque de respect, ça ne se fait pas*».

Je me suis longtemps interrogé sur l'effet dévastateur de ces deux croyances, parce que ce sont vraiment des croyances.

Pour les aider à développer une meilleure sérénité, j'amène mes patients à confronter leurs croyances qui sont toutes des pensées irréalistes.

Ainsi on pourrait se dire : *Il est peut-être injuste d'avoir à faire un régime, mais l'injustice existe et je dois composer avec. Si je n'en accepte pas l'existence, je crée moi-même une nouvelle injustice à mon égard.*

Pour le manque de respect, on pourrait se dire : *Il serait préférable que tout le monde soit respectueux des autres, mais il y en a qui se donne le droit de ne pas l'être. Je ne peux rien y faire, ce sont des êtres irrespectueux dont j'accepte l'existence, sans les cautionner.*

À force de répéter ces pensées réalistes, la plupart de mes patients ont développé une meilleure sérénité.

Avec le temps, j'ai compris pourquoi ces croyances sur l'injustice et le manque de respect étaient si profondes.

Reportez-vous au chapitre précédent et à notre lutte pour l'énergie vitale.

Dans les stratégies de recherche d'énergie pour survivre, deux possibilités existent : la réaction d'autodéfense et la victimisation.

La réaction d'autodéfense est basée sur la colère et dans l'inadmissibilité que l'injustice puisse exister puisque j'ai besoin de cette énergie pour survivre.

La victimisation quant à elle est basée sur la culpabilité et la recherche d'énergie par l'apitoiement comme si le manque de respect tarissait définitivement la source d'énergie vitale.

Voyons maintenant comment utiliser la justice et le respect de l'autre dans nos vies pour mieux gérer notre stress.

La justice figure parmi les valeurs les plus constantes et enracinées dans toutes les cultures du monde.

Nous comprenons maintenant pourquoi, c'est parce qu'elle assure une qualité d'échange de l'énergie vitale.

La première justice est de commencer par soi-même.

Donner à son corps et à son âme ce qu'ils ont besoin pour s'épanouir.

Avoir un poids santé, bien s'alimenter, bouger, prendre du temps pour méditer, réfléchir, et bien dormir.

La deuxième justice est envers les autres.

Être équitable, être responsable, être généreux, être respectueux, comprendre pourquoi l'autre fait les choses, accepter la différence et pardonner.

Le respect de l'autre est une valeur sociale aussi omniprésente dans toutes les cultures humaines.

Sans elle, les relations sociales risqueraient de n'être que rapports de force pour l'obtention d'énergie vitale, qu'intimidation, que sujétion, voire qu'appropriation. C'est malheureusement ce que nous constatons trop souvent dans nos sociétés[1].

Le respect de l'autre permet de sortir du rapport à autrui fondé sur la domination. Il permet donc une relation égalitaire, dans l'empathie.

---

1. Frédéric Lenoir, *La guérison du monde*. Paris, Fayard, 2014, 308 pages.

Nous connaissons tous cette maxime :

Ne fais pas à autrui ce que tu ne voudrais point qu'on te fasse.

Il est dans l'intérêt de l'individu de respecter l'autre s'il souhaite en retour recevoir la pareille.

Je traduirais librement cette pensée : *N'oubliez pas que si vous crachez en l'air, ça finira par vous tomber sur le nez.*

LA FRUSTRATION CHRONIQUE

Depuis plusieurs années, je fais de la recherche sur le surpoids, le stress et la motivation.

C'est ainsi que j'en suis arrivé à identifier le rôle du stress chronique dans le surpoids et l'obésité.

En mesurant le cortisol dans le sang de mes patients, je me suis demandé quelle émotion faisait augmenter le plus cette hormone du stress.

Les résultats préliminaires semblent nous indiquer que c'est **la colère chronique.**

Et ceci m'amène à mieux comprendre la notion de compassion particulièrement véhiculée par les bouddhistes[2].

Je vous avoue avoir déjà assisté à une conférence du dalaï-lama sur le sujet et de ne pas en avoir compris l'importance à ce moment-là.

---

2. Tenzin Gyatso, dalaï-lama XIV, *L'art de la compassion*, Paris, J'ai lu, 2016, 124 pages.

Pire, je me disais que la colère me permettait de faire face aux menaces à ma survie. J'en étais donc content.

Si je vous demande : « Avez-vous de la compassion ? »

Probablement que la majorité d'entre vous répondra : « Oh oui. »

Vous faites la charité, aidez des gens dans le besoin, ou faites du bénévolat.

La définition de la compassion peut se lire comme suit : une émotion par laquelle un individu est porté à percevoir ou ressentir la souffrance d'autrui, et est porté à y remédier.

Je dirais que c'est la partie facile de la compassion.

Maintenant, si je vous demande avez-vous de la compassion pour les individus qui vous ont fait du mal ?

Là, probablement que la majorité d'entre vous hésitera à répondre ou dira tout simplement : « Pas du tout. Je leur souhaite la même souffrance qu'ils m'ont faite. »

C'est la partie extrêmement difficile de la compassion, mais la plus importante pour votre santé physique et mentale.

D'abord, il faut savoir que la colère est une émotion **automatique**, qui nous protège des menaces faites à notre intégrité corporelle ou à notre ego. En situation de crise aiguë, elle favorise notre survie grâce au cortisol. Ça, c'est bien.

Le problème vient de la durée de la colère. À long terme elle peut nous tuer.

C'est ici que la compassion pour nos ennemis prend son sens.

La colère émet des vibrations énergétiques très fortes qui, si elles perdurent, attirent vers elles d'autres vibrations négatives et la production continue de cortisol qui produira ses effets et conséquences délétères de façon infinie.

Revoyez au chapitre 12, les effets du cortisol sécrété en grande quantité sur une longue période, sur tous les systèmes du corps humain.

Ne pas pardonner à son ennemi, ou à celui qui nous a fait du mal, est la meilleure façon d'être victime de stress chronique.

Et tout ça pour des mammouths virtuels qui n'existent pas vraiment.

1) N'attachez pas d'importance aux critiques ni même aux insultes des autres. N'entrez pas dans une lutte inutile pour cette énergie dont vous n'avez pas vraiment besoin pour survivre.

2) N'oubliez surtout pas que par leurs critiques ou insultes, les **gens parlent d'eux, pas de vous.**

3) Accepter leurs travers, défauts et qualités. Arrêtez d'exiger qu'ils aient les mêmes valeurs que vous. Et ne vous rendez plus **malade pour avoir raison.** Ce n'est pas important. Seule votre sérénité compte.

Ce que j'ai finalement appris : La vengeance n'allège pas notre propre souffrance, seule la compassion pour autrui peut le faire.

Et n'oubliez pas qu'être capable de compassion même pour un ennemi, c'est aussi être capable de compassion pour soi et certains de nos comportements malsains dont nous ne sommes pas fiers.

Pardonner aux autres, c'est aussi se pardonner à soi-même[3].

Veut, veut pas : nous sommes définitivement tous reliés.

LA CONVOITISE

Force est de constater que depuis environ 30 ans, le stress s'est propagé dans nos sociétés modernes à la vitesse grand V.

Et pourtant, de toute l'histoire de l'humanité, nous vivons dans une société qui n'a jamais été aussi riche. Nous vivons tous sans exception dans l'abondance.

Une autre constante existe depuis ces dernières décennies : les changements excessivement rapides, et ce dans tous les domaines : en médecine, en sciences, dans les technologies, dans les méthodes de travail, dans les communications et même dans les relations humaines.

Tout change trop vite. Tout se vit dans l'immédiateté.

La menace d'être dépassé plane perpétuellement au-dessus de nos têtes et ce dans tous les domaines : vie personnelle, vie amoureuse, vie professionnelle.

---

3. Tenzin Gyatso, dalaï-lama XIV, *L'art du bonheur*, Paris, J'ai lu, 2016, 304 pages.

Trop, c'est trop. Notre système d'alarme au stress est déréglé.

Il est étonnant de constater, alors que nous sommes dans une société d'abondance inégalée dans l'histoire, que les êtres humains sont de plus en plus stressés et malades de maladies dites de civilisation.

Si je vous pose la question : « Avez-vous de la difficulté à gérer l'abondance ? »

Oui, oui… à gérer l'abondance monétaire ?

J'entends plusieurs me répondre : « Mais, pas du tout ! »

Et pourtant, reposez-vous la question, car la vraie réponse est OUI.

Mon expérience de plus de 40 ans en consultation auprès de mes patients me permet de vous dire que l'être humain a plus de difficulté à gérer l'abondance que la pauvreté.

Eh oui ! Dans la pauvreté l'objectif est clair, réussir à manger, à subvenir à ses besoins de base et ceux de la famille, à envoyer ses enfants à l'école, à les garder en santé…

Dans l'abondance, il n'y a pas d'objectif clair, c'est la course effrénée vers la consommation : auto de plus en plus grosse, maison de plus en plus cossue, maison de campagne de plus en plus impressionnante, vacances de plus en plus fréquentes, et j'en passe…

Tout ça pour essentiellement accéder aux croyances véhiculées par la société de consommation que votre ego se portera mieux si vous possédez plus que votre voisin. Vous aurez une meilleure reconnaissance sociale, donc vous attirerez vers vous plus d'énergie.

C'est le syndrome du voisin gonflable. Votre mammouth est la convoitise.

Le problème vient qu'on se compare aux autres.

Or, il y a toujours plus riche, plus beau, plus jeune, plus mince que nous.

Je n'ai rien contre posséder si vos moyens le permettent, si vous n'êtes pas obligé de trop travailler pour boucler les deux bouts (c'est-à-dire pas plus de 40 heures/semaine), si votre budget est bien planifié sans dette, et si vous avez un coussin financier pour les imprévus.

Malheureusement, je n'en connais pas beaucoup qui respectent ces conditions.

Plusieurs d'entre vous me diront que les choses ont changé et qu'aujourd'hui il est normal d'utiliser ses marges de crédit au maximum.

Le matraquage publicitaire a bien fait son œuvre, mais ça veut simplement dire que vous vous faites avoir par un lavage de cerveau payant pour les institutions financières.

Selon les sondages, les sociétés le plus riches se classent en fin de liste quand on analyse la capacité de leurs habitants à être heureux.

À ce stade-ci, évaluez votre degré d'insécurité sur une base de 0 = aucune insécurité, à 10 = un maximum d'insécurité.

Si vous répondez plus de 3 sur 10, arrêtez-vous et analysez votre situation financière.

C'est par la **prise de conscience** que vous pouvez passer d'une vie basée sur l'avoir à une vie basée sur l'être. Ne sacrifiez pas votre être à l'avoir.

Évaluez vos besoins et distinguez-les de vos désirs.

Vos vrais besoins sont beaucoup moins nombreux que vos désirs.

Faites une liste de toutes vos dépenses et de vos revenus.

À ce moment-ci, vous aurez peut-être à faire des choix importants pour votre sécurité et pour votre sérénité.

Si vous travaillez déjà suffisamment, choisissez de couper dans des dépenses qui ne sont pas indispensables, et si besoin, diminuez la grosseur de l'auto, de la maison de ville, du chalet ou du voyage.

OUI, mais qu'est-ce que les autres vont dire ?

Aussi difficiles que ces choix puissent être, vous ne serez pas une moins bonne personne, votre ego n'en sera pas pour autant diminué si vous refusez qu'il diminue, et même il pourra augmenter en étant fier du courage que vous avez eu de prendre de bonnes décisions pour vous.

Les commentaires des autres quant à vos choix, sont **leurs** commentaires et souvent reposent sur des justifications pour expliquer leurs propres comportements aberrants. **Les gens parlent d'eux**. En écoutant leurs commentaires ou critiques, demandez-vous ce que cela dit d'eux.

C'est intéressant de bien comprendre cette lutte pour l'énergie vitale.

C'est vrai la sérénité a un prix, mais la convoitise coûte beaucoup plus cher.

Eh oui…

LE DÉCOURAGEMENT ET L'IMPUISSANCE

Un mammouth important qui menace l'être humain est ce que j'appellerai la société de désinformation.

Vous avez bien entendu. Vous me direz : « Mais non, nous sommes dans une ère d'information. »

C'est vrai qu'il n'y a jamais eu autant sur la planète de moyens de communication. On les a vus depuis les années 2000 littéralement exploser : Internet, téléphones intelligents, médias sociaux… et j'en passe.

C'est une véritable révolution.

Or de ce monde, nous parviennent en majorité des échos négatifs qui ne décrivent pas la réalité dans laquelle nous vivons. Les médias recherchent le sensationnalisme pour attirer votre attention et augmenter leurs cotes d'écoute.

Ils ne parlent essentiellement que de ce qui va mal : accidents, meurtres, attentats terroristes, tsunamis, famine, virus Ebola, épidémies, pollution, guerres…

Cette vision déformée de la réalité nous procure le sentiment que tout va de mal en pis, que notre terre est au bord du chaos.

Les jeunes sont bombardés d'informations négatives, en leur disant que les perspectives d'avenir sont minces. Ainsi on les maintient dans le découragement, le sentiment d'impuissance, l'usage de l'alcool ou des drogues.

Or, la réalité est toute autre : nous sommes dans une société d'abondance. Regardez chez vous et autour de vous la quantité de biens de consommation en circulation qui n'existaient même pas il y a à peine 20 ans : téléphones intelligents, tablettes, ordinateurs, véhicules motorisés de toutes sortes. Les gens voyagent comme jamais auparavant, consomment une grande variété de vins, spiritueux et de nourriture que mes parents n'ont même pas connus.

De nouveaux métiers apparaissent tous les jours sur le marché du travail. De nouveaux cours à l'université sont donnés régulièrement. Il y a un choix que mes parents n'ont jamais eu.

La violence dans nos villes diminue. Il y a moins de guerre à ce jour que ce que nos parents ont vécu au cours du 20e siècle. Les gens les plus pauvres de la planète ont maintenant pour la plupart de l'eau potable et de l'aide internationale.

Regardez autour de vous : il y a beaucoup de gens heureux, positifs, pour qui l'amour, le partage, la famille, l'amitié sont des valeurs puissantes. Comptez-les, ils sont plus nombreux que vous ne le pensez.

Et pourtant ce qu'on voit dans les médias, c'est le contraire.

On ne voit que la partie du verre qui est vide.

Et ce qu'on y voit crée un désarroi, donne l'impression que nous sommes impuissants et conduit à la passivité et au découragement.

Il n'est pas question de nier la réalité, de penser que tout est beau, mais il s'agit plutôt de se concentrer sur ce qu'on peut changer et de passer à l'action sur le plan individuel. Arrêtez de demander au gouvernement de résoudre tous les problèmes. Demandez-vous ce que vous pouvez faire pour les améliorer. Dans l'action, l'espoir renaît. Les énergies de vie circulent.

Dans le découragement, la passivité ou la dépression prend le dessus. Les énergies de mort prennent également le dessus.

Un conseil que je mets en pratique depuis plus de 30 ans : **fuyez le négatif.** Arrêtez de vous concentrer sur les nouvelles véhiculées dans les médias.

Lors des bulletins de circulation, on vous décourage jour après jour en calculant le temps que vous perdez dans un bouchon. Or, on ne perd jamais de temps, on vit le moment présent autrement qu'on l'avait prévu.

Lors des bulletins en météo, on vous dit qu'il y a 20 % de risque de mauvais temps. Or, on omet de vous dire que les probabilités de beau temps sont de 80 %.

Lors des comptes rendus financiers des entreprises, on vous dit qu'il y a un recul des profits lors du dernier trimestre. Or, la réalité est que l'entreprise fait encore des profits.

Sur le plan santé, on vous dit de prendre des médicaments pour prévenir les maladies. Or, on omet de vous dire que pour **peut-être** sauver une personne, on fera prendre des drogues dangereuses ou passer des examens inutiles à plusieurs milliers de personnes en oubliant de parler des effets secondaires. C'est vrai pour le cholestérol, les examens de dépistage du cancer de la prostate et du sein.

Concentrez-vous sur la partie pleine du verre. Fuyez le négatif.

Entourez-vous de nouvelles positives, de gens positifs, de lectures positives et mettez-vous en action pour aider les autres et pour vous aider.

En faisant peut-être une petite différence dans la vie des autres, vous en ferez une grande dans votre propre vie. Le positif attire des énergies positives, constructrices. Le négatif attire des énergies négatives, destructrices.

La journée est belle…

LA PEUR

Comme l'écrit le philosophe Frédéric Lenoir : « *Parce que les repères sont bouleversés ou brouillés, parce que la crise devient globale et touche tous les domaines de l'activité humaine, de plus en plus d'individus sont angoissés, doutent d'eux-mêmes, ont peur à la fois des autres et du lendemain.*

« Du fait de la pression économique et de ses impératifs de rentabilité, nous craignons désormais en permanence d'être dépassés, de perdre notre emploi, de ne plus être compétitifs, efficaces et reconnus. Alors que les entreprises étaient jadis des lieux

de perfectionnement, de sociabilité, voire de solidarité, elles deviennent des lieux de rivalité et de méfiance[4]. Ce mammouth moderne est un des grands responsables du stress chronique qui conduit à l'anxiété généralisée et au taux effarant de burn-out, de dépression et de suicide dans nos sociétés.

La peur, l'anxiété ou l'angoisse sont synonymes et apparaissent quand on se dit deux choses : 1. *Je sens qu'un danger me menace*; et 2. *Je ne suis pas certain d'être capable d'y faire face.*

Ces deux pensées doivent être présentes en même temps.

Il y a des peurs réelles et des peurs virtuelles.

Il y a un feu, vous avez peur de vous brûler et vous faites un détour pour l'éviter. Ce mammouth est réel, facile à reconnaître et ne durera pas longtemps.

Vous avez peur que votre patron ne reconnaisse pas la qualité de votre travail et vous accumulez les heures supplémentaires. Ce mammouth est virtuel, plus difficile à reconnaître et peut durer des années.

Et le résultat à long terme de vos peurs virtuelles, c'est le repli sur soi comme nous l'avons vu précédemment.

Face à vos peurs virtuelles, il faut vous faire confiance et faire confiance à la vie.

Ceci veut dire : lâchez prise sur ce qui pourrait arriver dans l'avenir.

---

4. Deborah Norville, *Merci la vie : le pouvoir de la gratitude dans nos vies,* Brossard, Éditions Un monde différent, 2009, 217 pages.

Vous n'avez aucun pouvoir. Vous traverserez le pont quand vous serez rendu à la rivière.

Ceci signifie aussi : cessez de vouloir tout contrôler dans votre vie ou celle des autres autour de vous. Arrêtez de vouloir prévenir tout ce qui pourrait arriver de désagréable. **C'est impossible.**

Votre peur virtuelle repose sur vos pensées irréalistes qu'un danger menace votre existence et que vous n'êtes pas capable d'y faire face.

Or, j'ai constaté auprès de milliers de patients qu'à la suite d'épreuves qui leur semblaient insurmontables, telles que la perte d'une personne aimée, la perte d'un emploi, un accident grave ou un diagnostic de cancer, ils ont trouvé en eux des forces **insoupçonnées** qui les ont fait grandir.

Vous avez probablement déjà entendu ce genre de témoignage autour de vous.

Faites-vous confiance et faites confiance à la vie.

Regardez votre passé. Identifiez les épreuves et les difficultés que vous avez subies et surmontées.

Est-ce que ces épreuves ou difficultés ont fait de vous une meilleure personne ? Probablement que oui.

Et si votre réponse est non, demandez-vous pourquoi ?

Essayez d'identifier ce que vous vous êtes dit ou ce que vous vous dites encore aujourd'hui en rapport avec ces événements difficiles de votre passé. Vous avez encore la possibilité de changer ça.

Je crois profondément que nos pensées sont créatrices et porteuses d'énergie.

Mais c'est vrai dans les deux sens : positif et négatif.

Débarrassez-vous de vos pensées négatives, irréalistes et cultivez les pensées positives, réalistes.

N'attendez plus de tout prévoir ou tout contrôler dans votre vie et dans celle des personnes que vous aimez. Ça n'arrivera jamais.

La peur, c'est vivre avec ce qui pourrait arriver dans l'avenir.

Or, le futur n'existe pas et n'existera jamais.

L'énergie qui nous compose n'existe que dans le moment présent.

Les expériences en physique quantique expliquent bien ces phénomènes.

Le meilleur traitement à vos peurs virtuelles, c'est l'action. Vous vous prouverez ainsi, en temps opportun, que vous pouvez faire face aux dangers qui vous menacent.

Ici et maintenant, ça fonctionne.

LE MANQUE DE TEMPS

« Comment puis-je faire pour ne plus être stressé ? »

Pour la personne stressée qui court toujours, qui ne s'arrête à peu près jamais et qui ne prend pas de temps pour elle, trouver la réponse à la question relève du défi.

Je vous donne quand même la réponse : PRENEZ DU TEMPS.

Personne n'a de temps, il faut le prendre.

C'est un **choix** indispensable qui vous semble peut-être difficile, mais obligatoire à faire.

- En premier lieu, vous devez prendre du temps pour dormir. La majorité de mes patients dorment entre cinq et sept heures par nuit. C'est insuffisant. Nos besoins sont entre sept et neuf heures avec l'impression au réveil d'être reposé.

C'est pendant ces heures que votre corps et votre cerveau se régénèrent.

La nuit porte conseil et les problèmes insolubles la veille sont en voie de résolution après une bonne nuit de sommeil.

La fatigue est l'ennemie numéro 1 de la satiété, elle favorise la prise de nourriture souvent sucrée et ouvre la porte aux émotions malsaines.

En fait, la fatigue est un vrai **mammouth physique**.

La seule solution est de l'éliminer en **dormant suffisamment**.

Aucune de vos explications ou **excuses**, aussi valables vous semblent-elles, ne peut justifier un manque de sommeil chronique.

C'est très simple, si vous voulez être en bonne santé et offrir une bonne performance physique et mentale, **vous n'avez pas le choix, vous devez dormir suffisamment.**

Voici 10 trucs pour mieux dormir :

1. Dans la soirée, évitez les substances et activités sti-
   mulantes telles que le thé, le café, les colas, les boissons énergisantes, les sports violents et les conflits
   interpersonnels.

2. Mangez légèrement au repas du soir pour éviter les
   reflux gastriques. Et prévenez les réactions d'hypoglycémie réactionnelle en diminuant les glucides et
   en consommant suffisamment de protéines lors de
   vos repas et collations.

3. Au coucher, évitez la télé et Internet. En plus du
   contenu, les rayonnements émis par ces appareils
   nuisent au sommeil. Assurez-vous d'avoir une rou-
   tine, c'est-à-dire de vous coucher et de vous lever
   chaque jour aux mêmes heures.

4. Dans votre journal personnel, au moment de vous
   coucher, inscrivez au moins une chose dont vous
   avez été fier durant cette journée.

5. Écrivez-y aussi un problème qui vous tracasse en
   demandant à votre subconscient de prendre la relève
   pendant la nuit et de vous fournir la solution le lendemain.

6. Créez une ambiance propice au sommeil : une cham-
   bre sans bruit, sombre et avec une température
   fraîche autour de 18 °C.

7. Bains chauds, massage, lecture ou musique de détente
   favorisent l'endormissement.

8. Une technique de relaxation et de respiration profonde de cinq minutes équivaut à une heure de sommeil. *(NDLR: le programme sonore: Méditation Minceur au moment de dormir ou à tout autre moment de la journée au besoin pourra vous aider).*

9. Des produits naturels peuvent aider: tryptophane, tisane apaisante, mélatonine.

10. En dernier recours, votre médecin pourra vous prescrire un médicament pour une courte période de pas plus de deux semaines.

Maintenant, pour mieux gérer votre stress, prenez du temps pour bouger, pour faire de l'exercice. Ça fait partie d'un bon équilibre de vie.

Un des bénéfices les plus importants de l'activité physique vient que ça vous permet d'extérioriser l'énergie accumulée par votre stress chronique qui est le plus souvent provoqué par des mammouths virtuels.

L'accumulation de cette énergie est un facteur probablement déterminant de maladies dégénératives et de cancer. Il faut que ça sorte.

L'activité physique est la meilleure pilule pour les nerfs que je connaisse. Il diminue l'anxiété et la dépression.

D'autres bénéfices sont associés à l'activité physique: une meilleure circulation sanguine, un abaissement de la tension artérielle et du cholestérol, une réduction de la glycémie et du diabète, une amélioration du métabolisme et une perte de poids.

Une nouvelle étude nous apprend que seulement 10 minutes au total d'un exercice doux (ex: vélo stationnaire), entrecoupé de 3 épisodes de 20 secondes seulement d'activités intenses (comme le *spinning*), 3 fois par semaine, va améliorer votre santé, votre forme physique et mentale, et faciliter la gestion de votre poids.

Si vous ne trouvez pas d'activités physiques qui vous intéressent, une marche graduelle jusqu'à 45 minutes par jour va aussi vous aider.

La meilleure activité physique, c'est celle que vous aimez ou apprendrez à aimer.

N'oubliez pas que l'activité physique ne doit pas se faire au détriment du sommeil et que plus vous en faites, plus votre besoin en sommeil augmente.

Profitez de vos déplacements pour bouger davantage: montez des escaliers, stationnez plus loin, portez vos paquets, travaillez assis sur un ballon ou debout… Tout compte.

Des études récentes montrent l'importance d'être moins assis et d'être debout plus souvent pour notre santé physique et mentale.

Ce qui signifie qu'il serait préférable de réduire le temps passé devant un écran à pas plus de deux heures à la fois entrecoupées de quelques minutes de marche ou d'activité physique.

LES EXCUSES

Finalement pour contrer vos mammouths, arrêtez toutes vos excuses, cessez de vous mentir à vous-même.

Prenez du temps pour bien manger et être à votre poids santé. Pour maigrir, choisissez un programme alimentaire reconnu avec suffisamment de protéines, peu de glucides et une perte de poids motivante. À votre poids santé, le plus important est d'avoir une alimentation variée, équilibrée et en quantité adaptée à votre besoin. Méfiez-vous des sucres. *(NDLR : consultez le livre* Motivation Minceur *au chapitre 11 Comprendre ce qu'on mange.)*

Prenez du temps pour respirer. C'est simple et ça marche.

Un pionnier, Jon Kabat-Zinn, a popularisé le terme de *mindfulness* qu'on pourrait traduire par la pleine conscience.

Il s'agit tout simplement de s'arrêter et observer ses propres sensations corporelles à partir de sa respiration.

Seulement observer, sans juger, sans attendre quoi que ce soit, sans rien empêcher d'arriver à son esprit, mais aussi sans s'accrocher à ce qui s'y passe. C'est tout. C'est simple. C'est la méditation de la pleine conscience. Et c'est efficace.

De nombreuses études faites dans des universités sérieuses le démontrent.

Lorsque vous inspirez profondément, en soulevant votre ventre, votre diaphragme se distend et active votre système nerveux parasympathique qui ralentit votre réponse au stress et la production d'hormones de stress.

Prenez du temps pour vous faire plaisir.

Tout en vous concentrant sur votre respiration lente et profonde, chantez, écoutez de la musique qui vous calme, dansez seul ou avec d'autres, lisez sur des sujets apaisants, et riez. Eh oui! En période de stress, le rire a son effet le plus bénéfique. Et c'est démontré.

Puis, prenez du temps pour choisir votre vie.

Mensuellement, arrêtez-vous et demandez-vous si vous êtes satisfait ou satisfaite de votre vie personnelle (votre santé, votre condition physique et mentale), de votre vie amoureuse, de votre vie familiale et finalement de votre vie professionnelle.

Je vous conseille de vous poser ces questions dans l'ordre proposé.

Faites-le par écrit.

Puis décidez des changements que vous aimeriez y apporter. N'essayez pas de tout changer d'un coup. Choisissez vos priorités, planifiez comment vous allez le faire et déterminez un échéancier réaliste pour y arriver. Donnez-vous plus de temps que pas assez.

Refaites cet exercice chaque mois et vous constaterez rapidement l'amélioration de votre qualité de vie et la diminution de votre stress.

Ensuite, pour contrer vos mammouths, prenez du temps pour faire plaisir aux autres.

Entretenez vos amitiés et si vous le pouvez, faites du bénévolat.

En aidant les autres, on s'aide soi-même.

Finalement, et probablement le plus important, **prenez le temps d'apprécier ce que vous avez.**

Nous vivons dans une société basée sur la performance. On vous souhaite de profiter de vos vacances, de profiter de la vie au maximum, de profiter de l'argent que vous avez…

Moi, je vous dis que le plus important est d'**apprécier ce qu'on a, pas ce qu'on n'a pas.**

D'apprécier la santé qu'on a, même si on a une maladie ou un handicap.

D'apprécier les biens qu'on a, même si on n'est pas riche.

D'apprécier le travail qu'on a, même s'il ne répond pas à toutes nos aspirations.

D'apprécier le conjoint ou les enfants qu'on a, même s'ils ne sont pas parfaits.

D'apprécier les amis qu'on a, même s'ils ne sont pas toujours aimants.

Apprécier ce qu'on a dans le moment présent ne veut pas dire que je ne ferai pas d'effort pour améliorer mon sort. Au contraire, c'est légitime et ça fait partie de notre démarche spirituelle dans l'univers qui nous abrite.

Peu importe la journée que vous avez vécue, en vous couchant le soir, dites : « **Merci la vie**[5]. »

---

5. Deborah Norville, *Merci la vie : le pouvoir de la gratitude dans nos vies*, Brossard, Éditions Un monde différent, 2009, 217 pages.

16

EST-CE QUE DIEU EXISTE ?

Pendant des siècles, les philosophes se posaient cette question. Depuis des décennies, je me pose aussi cette question. Je ne suis pas encore certain de la réponse, mais mon expérience de vie autant sur le plan personnel que professionnel m'amène à comprendre plusieurs choses.

Je suis né dans une famille catholique, mais depuis au moins 50 ans, je ne crois pas qu'une religion soit meilleure qu'une autre. Je ne crois pas à un Dieu avec une grosse barbe qui récompense ou punit selon l'observance de Ses volontés.

Je me souviens encore de ma première journée à l'école primaire à l'âge de sept ans. On m'a donné un exemplaire du petit catéchisme. Ce livre était composé de questions et de réponses sur la foi catholique et ses valeurs. Il était destiné à formater les jeunes élèves dans ces croyances.

La première question était: «Où est Dieu?» Et la réponse était: «Dieu est partout.»

Je dois avouer que pendant une longue période de ma vie, je n'ai pas compris ce que cela voulait dire. Ce n'est que récemment que j'en ai saisi le sens.

Mon évolution dans le traitement de la personne en surpoids, telle que je l'ai décrite dans les chapitres précédents, m'a amené à comprendre que nous le sachions ou pas, que nous l'acceptions ou pas, nous sommes **tous** des êtres spirituels. Nous sommes tous faits d'énergie qui répond à des lois de la physique quantique.

Il n'y a pas de hasard. Nous faisons tous partie de l'immense champ quantique, comme une goutte d'eau dans l'océan est l'océan. Nous sommes tous reliés[1] autant à l'univers, à la nature qu'aux huit milliards d'êtres humains sur cette planète[2].

Il y a quelques années, je lisais le livre, *Le Tao de la physique*[3]. Écrit en 1975 par le physicien Fritjof Capra, il explore les parallèles entre la physique moderne et le mysticisme religieux oriental. Ce fut un best-seller publié à plus de 43 éditions dans 23 langues. M. Capra démontre que la physique moderne confirme les concepts anciens asiatiques et la philosophie spirituelle bouddhiste[4].

---

1. Deepak Chopra, *Le livre des coïncidences*: *vivre à l'écoute des signes que le destin nous envoie*, Paris, InterEditions, 2014, 235 pages.
2. Robert H. Hopcke, *Il n'y a pas de hasard*: *la place des coïncidences dans le roman de notre vie*, Outremont, Éditions Québecor, 1997.
3. Fritjof. Capra, *Le Tao de la physique*, Paris, Tchou, 2006, c1985, 353 pages.
4. *Idem.*

Personnellement, je crois que la base spirituelle de toutes les religions est la même et elle est bien expliquée par la nouvelle physique quantique.

VERSETS DE LA BIBLE

MARC 10: VERSET 25

« Il est plus facile à un chameau de passer par le trou d'une aiguille qu'à un riche d'entrer dans le royaume de Dieu. »

Mon expérience comme médecin et intervenant en psychologie auprès de la personne en surpoids ou obèse m'a fait prendre conscience depuis longtemps que l'être humain a plus de difficulté à gérer l'abondance, la liberté et le succès que le contraire.

Aussi surprenant que cela puisse paraître.

Un de mes amis aimait répéter : *« Nous sommes dans une société où la misère des riches prédomine. »*

MATTHIEU 7: VERSETS 7, 8

« Demandez, et l'on vous donnera; cherchez, et vous trouverez; frappez, et l'on vous ouvrira. Car quiconque demande reçoit, celui qui cherche trouve, et l'on ouvre à celui qui frappe. »

Mon expérience de vie m'a montré que notre destinée est entre nos mains parce que nos pensées sont créatrices.

Vous vous êtes peut-être dit que vous ne vouliez pas être malade ou obèse et pourtant vous en souffrez.

Le problème vient que la majorité de nos pensées, certains disent 90 %, sont négatives et dans notre subconscient. Comme nous avons vu, nos émotions sont l'énergie de nos pensées. Leur intensité est en relation avec nos expériences de vie, bonnes ou mauvaises. Et c'est enregistré dans notre cerveau dès la conception dans le sein de la mère, bien avant le développement de nos fonctions cognitives, et après tout au long de notre vie.

Si vous ne recevez pas ce que vous demandez, cherchez les pensées et émotions négatives qui viennent l'empêcher.

N'oubliez pas que tout est énergie et répond à des lois physiques.

(NDLR : Voir le livre Motivation Minceur, *les chapitres 4 et 6 pour vous aider à identifier vos blocages.)*

Genèse 1: 27
« *Dieu créa l'homme à son image.* »

Comme une goutte d'eau dans l'océan est l'océan, comme notre énergie fait partie du champ quantique de l'univers, nous sommes des parties de Dieu.

Luc 1: 37
« *Car rien n'est impossible à Dieu.* »

Nous avons donc le pouvoir de créer le bien, mais aussi le mal. Il n'y a pas de Dieu vengeur ou punitif, il y a des lois physiques qui ne font pas de distinction entre le bien et le mal. Malheureusement, l'homme, souvent inconsciemment, est responsable de son malheur.

À cause du pouvoir de nos pensées, souvent nous nous récompensons ou nous nous punissons de façon inappropriée.

À cause du pouvoir de nos pensées, souvent nous nous créons un ego faible.

À cause du pouvoir de nos pensées, nous trouvons des excuses pour justifier nos comportements aberrants.

À cause du pouvoir de nos pensées, nous mentons aux autres et à nous-même.

MARC 9 : 23
« Tout est possible à celui qui croit. »

J'écrirais que tout est possible à celui qui comprend que l'univers est une vaste toile d'énergie électromagnétique, que tout est relié et que nous avons un pouvoir de l'influencer, particulièrement en ce qui nous concerne.

À cause du pouvoir de nos pensées, nous sommes responsables de nos comportements.

À cause du pouvoir de nos pensées, nous pouvons assumer nos responsabilités sans culpabilité.

À cause du pouvoir de nos pensées, nous pouvons quotidiennement choisir notre vie.

À cause du pouvoir de nos pensées, nous pouvons réussir notre vie un jour à la fois.

À cause du pouvoir de nos pensées, nous pouvons vivre pleinement ici et maintenant.

EXODE 15: 26
« Car je suis l'éternel qui te guérit. »

Une des lois les plus extraordinaires de la mécanique quantique est que les énergies interfèrent entre elles pour tendre à l'ordre, à l'harmonie et à l'**évolution permanente.** Le principe des opposés en physique quantique reconnaît que tout s'influence afin d'assurer l'évolution de l'univers.

C'est en se débarrassant de nos émotions négatives (colère, angoisse, culpabilité, autodépréciation et tristesse) que nous guérirons.

CONCLUSION

Maigrir, c'est guérir ses blessures.

Maigrir, c'est connecter avec son moi profond programmé pour le succès, le bonheur et la sérénité.

Maigrir, c'est apprivoiser la santé pour vivre au maximum.

Maigrir, c'est choisir la vie à chaque instant.

Maigrir, c'est vivre…

Merci la vie…

Annexe

VOTRE GUIDE PRATIQUE

1) Bâtir une motivation à toute épreuve

C'est vraiment la première chose à faire avant d'entreprendre votre cure d'amaigrissement et d'**épanouissement**.

Voici les deux étapes indispensables à votre réussite :

1. **Écrivez** sur une feuille de papier ou dans votre journal santé les bénéfices que vous recherchez. Procédez de la même façon pour toutes les questions qui suscitent une réflexion et auxquelles vous pouvez répondre tout simplement.

À ce moment-ci, le bénéfice principal que vous recherchez est d'être moins mal, physiquement ou psychologiquement. C'est bien. Écrivez-le.

Arrêtez-vous et pensez aux activités que vous aimeriez faire quand vous serez mince et en bonne santé. Toujours sur votre feuille de papier ou dans votre journal santé, écrivez-les.

Ce que vous recherchez doit être important pour vous.

Ça doit en valoir la peine.

Maintenant, faites votre film mental.

Imaginez et visualisez quotidiennement, et même plusieurs fois par jour, ce que vous voulez obtenir. Entendez les sons ambiants et ressentez la merveilleuse sensation de bien-être comme si vous aviez déjà atteint votre objectif. Écrivez votre film mental.

2. Identifiez les freins à votre motivation.

   1) Avez-vous du ressentiment en pensant faire un régime ?

   Trouvez-vous ça injuste ?

   Écrivez-le dans vos mots en indiquant l'intensité de votre émotion sur une échelle de 0 (pas de ressentiment) à 10 (beaucoup de ressentiment).

   2) Ressentez-vous du regret de perdre quelque chose de réconfortant ou un ami, en entreprenant un régime ?

   Écrivez-le en indiquant l'intensité de votre émotion sur une échelle de 0 (pas de regret) à 10 (beaucoup de regret).

3) Avez-vous l'impression qu'entreprendre une cure d'amaigrissement est au-dessus de vos forces?

Écrivez-le en indiquant l'intensité de votre émotion sur une échelle de 0 (pas du tout) à 10 (au-dessus de mes forces).

4) Avez-vous des doutes de pouvoir réussir votre cure d'amaigrissement?

Écrivez-le en indiquant l'intensité de votre émotion sur une échelle de 0 (pas de doute) à 10 (beaucoup de doute).

Ces quatre perceptions prises individuellement ou en groupe sont responsables de vos échecs. Vous devez **absolument** les changer avant d'entreprendre votre régime.

Voici comment faire.

En prenant chacune de vos perceptions, posez-vous ces questions:

1. Ressentiment: *Est-ce que je ne devrais pas être plutôt frustré ou frustrée d'avoir un surpoids?*

2. Regret: *Est-ce que je ne devrais pas plutôt regretter d'être en surpoids?*

3. Trop d'effort: *Est-ce que je ne dépense pas beaucoup plus d'effort en étant en surpoids?*

4. Doute dans la réussite: *Est-ce que réussir **aujourd'hui** à faire de bons choix pour moi est possible?*

2) Choisir le meilleur régime amaigrissant pour vous

1) Ne pas faire :

- se fier et choisir sur Internet ou ailleurs les régimes à la mode ou miracle sans fondement scientifique.

- suivre un régime sans aucun soutien, ni encadrement.

2) Faire :

- consultation avec votre médecin de famille pour évaluer votre santé et faire le suivi des médicaments que vous prenez, s'il y a lieu.

- avoir un encadrement courant avec des gens ayant une expertise en alimentation, en motivation et en changement de comportement. Cet encadrement peut être fait en centre d'amaigrissement ou en ligne.

- Choisir parmi deux types de régime :

   a) un régime conventionnel qui contient tous les groupes alimentaires et qui compte au moins 1200 calories.

   b) un régime cétogène (KETO) qui respecte ces caractéristiques :

   – entre 800 et 1200 calories ;

   – hypoglucidique : moins de 50 g/jour ;

– protéiné : 1,5 g/kg de poids santé,

– matières grasses : quantité contrôlée de bons gras, particulièrement d'acides gras essentiels ;

– vitamines et sels minéraux en quantité suffisante.

Ce type de régime **tout à fait naturel**, donne des résultats de perte de poids rapide, sans sensation de faim incontrôlable, en bonne santé et un sentiment de bien-être physique et mental.

Il est possible de mesurer l'efficacité de la perte de poids en gras en utilisant un bâtonnet pour cétone urinaire (Ketostix).

3) Persévérer un jour à la fois

1. Dès le lever, en vous regardant dans le miroir, quitte à rire de vous-même, souhaitez-vous une belle journée et choisissez comment vous allez la vivre. Choisissez vos objectifs. Décidez de ne pas vous laisser entraîner par le négatif.

2. Ne vous pesez pas. Une fois par semaine est plus que satisfaisant. Prenez vos mensurations toutes les deux semaines.

3. Faites votre liste d'épicerie pour la semaine et planifiez ce que vous allez manger aujourd'hui, où et à quelle heure.

4. Planifiez un repas ou une collation sans sucre et suffisamment protéinée toutes les trois ou quatre heures pour prévenir la faim.

5. Dans votre agenda de la journée, prévoyez quelques minutes pour lire ou visionner du matériel de motivation, c'est votre jogging mental.

6. Prévoyez aussi du temps pour une activité physique. L'exercice ne fait pas beaucoup maigrir, mais est essentiel à votre santé physique et mentale. Faites une activité que vous aimez. Une marche de 45 minutes par jour, 5 jours par semaine peut très bien faire l'affaire.

7. À la suite d'une perte de contrôle alimentaire, prenez un moment pour bien comprendre si ce sont des causes physiologiques comme l'hypo-glycémie ou le manque de sommeil qui en sont le déclencheur ou des causes émotionnelles. Développer graduellement votre habileté à faire des ABCD. Voir le chapitre 5 et TCC.

8. Au coucher, appréciez ce que vous avez, ce que vous avez bien fait et apprenez, s'il y a lieu, de vos erreurs ou difficultés, pour être une meilleure personne demain. **Les difficultés sont de merveilleuses opportunités pour s'améliorer.** C'est se responsabiliser sans se culpabiliser.

4) Faire face au plateau

Tôt ou tard, il y aura des périodes où le pèse-personne ne vous rendra pas justice.

Faites un journal alimentaire détaillé de ce que vous mangez.

Si vous avez augmenté votre activité physique, il se pourrait que vous ayez perdu du gras, mais gagné des muscles. Au fond, votre silhouette et vos mensurations en témoigneront.

Le plus souvent, c'est la rétention d'eau qui en est la grande responsable. Plusieurs causes peuvent l'expliquer : cycle menstruel, stress, manque de sommeil, médicaments anti-inflammatoires, température chaude et humide, etc.

Sachez que si vous suivez bien votre programme alimentaire, il est **impossible** que vous ne puissiez plus maigrir, c'est-à-dire perdre votre gras en trop.

Attention aux excuses pour retourner à vos anciens comportements surtout à la suite d'un stress.

5) Maintenir son poids perdu

Avoir un suivi mensuel. Les études démontrent un taux de maintien de plus de 80 % du poids perdu après quatre ans.

C'est plus facile que vous ne le pensez.

La vraie question est :

*Est-ce que je peux maintenir mon poids perdu **aujour-d'hui** ?*

En fait, maigrir, c'est tout simplement vivre le moment présent.

C'est se choisir aujourd'hui.

REMERCIEMENTS

Un merci sincère à tous ceux et celles qui ont croisé mon chemin. Il y a une expression qui dit «pour le meilleur et pour le pire». Je crois que c'est toujours pour le meilleur, car le pire est une merveilleuse opportunité d'apprendre et d'évoluer. Si je suis ici aujourd'hui, vous y avez tous contribué.

Nous sommes tous reliés.

Quand je regarde mon trajet de vie, je me rends compte qu'il n'y a pas de hasard.

Je remercie tout spécialement la vie.

À PROPOS DE L'AUTEUR

Le docteur Maurice Larocque est diplômé de la faculté de médecine de l'Université de Montréal, au Québec.

Il a consacré toute sa vie professionnelle comme médecin et chercheur clinicien aux personnes en surpoids. Il a publié plusieurs de ses recherches et découvertes dans les journaux scientifiques.

Il est une figure populaire et recherchée dans les différents médias nationaux et internationaux.

Il est un conférencier couru tant auprès de ses pairs que du grand public.

Il est l'auteur du programme de motivation et de changement du comportement le plus avancé dans le domaine de la gestion du poids: Questionnaire mensuel informatisé Poids Mental, 12 livres, programmes sonores, vidéos, documentation…

Il pratique à Montréal et à Laval, dans la province de Québec.

Il est le directeur médical de «Clinique Motivation Minceur» qui repose sur son programme de motivation accessible en ligne et en centre.

POUR REJOINDRE

Docteur Maurice Larocque :
www.docteurlarocque.ca

Clinique Motivation Minceur :
www.motivationminceur.ca

Clinique Motivation Minceur
à Laval,
Québec, Canada
101-3505, boul. Saint-Martin Ouest
Laval (Québec)
H7T 1A2
450 681-1143

Accès au Questionnaire
Poids Mental :
info@motivatonminceur.ca

MARQUIS

Québec, Canada

RECYCLÉ
Papier fait à partir
de matériaux recyclés
FSC® C103567

100%

TCF

PERMANENT